Don de
Donated by

Jean Dignard

Date : le 22 novembre
2003

Vivre avec soi

Chaque jour... la vie

Catalogage avant publication de la Bibliothèque nationale du Canada

Salomé, Jacques
   Vivre avec soi
   (Chaque jour la vie)

   1. Acceptation de soi. 2. Estime de soi. 3. Réalisation de soi. I. Titre.

BF575.S37S24 2003   155.2   C2003-941237-7

Pour en savoir davantage sur nos publications,
visitez notre site : **www.edhomme.com**
Autres sites à visiter : www.edjour.com •
www.edtypo.com • www.edvlb.com •
www.edhexagone.com • www.edutilis.com

Gouvernement du Québec – Programme de crédit
d'impôt pour l'édition de livres – Gestion SODEC.

L'Éditeur bénéficie du soutien de la Société de
développement des entreprises culturelles du
Québec pour son programme d'édition.

Nous reconnaissons l'aide financière du gouvernement du Canada par l'entremise du Programme
d'aide au développement de l'industrie de l'édition
(PADIÉ) pour nos activités d'édition.

Dépôt légal : 3ᵉ trimestre 2003
Bibliothèque nationale du Québec

ISBN 2-7619-1832-0

DISTRIBUTEURS EXCLUSIFS :

• Pour le Canada
  et les États-Unis :
  MESSAGERIES ADP*
  955, rue Amherst
  Montréal, Québec
  H2L 3K4
  Tél. : (514) 523-1182
  Télécopieur : (514) 939-0406
  * Filiale de Sogides ltée

• Pour la France et les autres pays :
  VIVENDI UNIVERSAL PUBLISHING SERVICES
  Immeuble Paryseine, 3, Allée de la Seine
  94854 Ivry Cedex
  Tél. : 01 49 59 11 89/91
  Télécopieur : 01 49 59 11 96
  Commandes : Tél. : 02 38 32 71 00
                Télécopieur : 02 38 32 71 28

• Pour la Suisse :
  VIVENDI UNIVERSAL PUBLISHING SERVICES SUISSE
  Case postale 69 - 1701 Fribourg - Suisse
  Tél. : (41-26) 460-80-60
  Télécopieur : (41-26) 460-80-68
  Internet : www.havas.ch
  Email : office@havas.ch
  DISTRIBUTION : OLF SA
  Z.I. 3, Corminbœuf
  Case postale 1061
  CH-1701 FRIBOURG
  Commandes : Tél. : (41-26) 467-53-33
                Télécopieur : (41-26) 467-54-66
                Email : commande@ofl.ch

• Pour la Belgique et le Luxembourg :
  VIVENDI UNIVERSAL PUBLISHING SERVICES BENELUX
  Boulevard de l'Europe 117
  B-1301 Wavre
  Tél. : (010) 42-03-20
  Télécopieur : (010) 41-20-24
  http://www.vups.be
  Email : info@vups.be

Jacques Salomé

Vivre avec soi

Chaque jour... la vie

LES ÉDITIONS DE
L'HOMME

Être son propre destin, pour aboutir aux sources de soi.

J'ai mis longtemps à comprendre cette évidence que la personne avec laquelle je passais l'essentiel de ma vie était… moi-même. Et encore plus de temps à découvrir que je ne m'occupais pas beaucoup de moi, que je ne m'accordais pas beaucoup d'attention, que j'étais peu prévenant envers ma propre personne. Ce qui était un paradoxe, puisque j'étais censé, au travers de mon travail de formateur, m'occuper des autres, les accompagner et éventuellement les soutenir dans leurs démarches de changement.

Établir une bonne relation avec soi, se respecter, être congruent c'est-à-dire veiller à ce qu'il y ait un accord entre ce que je pense et ce que je fais, entre ce que je sens et ce que je dis, me semblent être de bonnes prémisses pour devenir un bon compagnon pour soi.

Dans les textes qui suivent et qui complètent la série de *Chaque jour… la vie* commencée avec *Vivre avec les autres* et *Vivre avec les miens*, j'ai tenté de donner quelques repères qui me paraissent indispensables pour poursuivre l'interrogation sur soi-même, dépasser ses aveuglements et se montrer vigilant vis-à-vis de ses errances. Il s'agit de propositions ouvertes semblables à des chemins, à des pistes, et comportant des relais, propres à nous rappeler que c'est avec le meilleur de nous que nous pouvons rencontrer le meilleur de l'autre.

Intériorité

Dans l'éloignement et le silence tout bouge. J'ai profité de ce mouvement pour aller à ma rencontre.

Peurs et désirs

Nous mettons souvent longtemps à le découvrir : derrière toute peur existe un désir. Cette affirmation un peu péremptoire et simpliste risque d'en troubler plus d'un ! Pourtant, si nous prenons le temps d'écouter ce qui se cache derrière la plupart de nos peurs, nous entendons que beaucoup de désirs sont à l'œuvre en nous, qui n'osent s'exprimer directement, se manifester clairement ni s'énoncer comme ils le devraient.

Si j'ai peur d'avoir un cancer, il est vraisemblable que je désire que mon corps n'en produise pas un ! Si j'ai peur que ma bien-aimée ne m'aime plus, c'est certainement que je souhaite qu'elle continue de m'aimer. Si je redoute d'être mis à la porte de mon emploi, c'est sans doute que je tiens à le garder.

Ces quelques exemples suffisent à montrer que reconnaître et exprimer son désir est plus dynamique que de se laisser enfermer par ses peurs, de les ruminer ou de les imposer en permanence à son entourage proche !

Il existe aussi des peurs « à tiroirs ». Des peurs qui ne sont que le masque d'autres peurs et donc de désirs plus archaïques, plus diffus ou plus contradictoires, plus difficiles à circonscrire et à reconnaître. Ainsi, la peur du noir. Ce n'est pas le noir qui effraie, mais ce que nous imaginons qui pourrait surgir du noir. Chez certains enfants, la peur du noir peut cacher le désir de dormir dans la chambre des parents et de se mettre « justement entre les deux ! » ou celui « d'avoir maman toute à moi quand papa n'est pas là… »

La peur des voleurs, chez des adolescentes, peut être liée à la crainte d'une intrusion intime, et masquer un désir plus difficile à reconnaître, celui d'une rencontre amoureuse bienveillante, non menaçante.

Il appartient à chacun d'écouter et d'entendre le désir qui existe derrière chaque peur et d'oser le respecter…

**Quand l'un ne peut s'ajuster aux désirs de l'autre,
il peut éventuellement s'ajuster à ses propres possibles.**

Le besoin naît avant le désir...

Dans l'ordre des priorités, le besoin précède le désir. De la satisfaction de nos besoins fondamentaux – nourriture, chaleur, protection – dépend avant tout notre survie. L'urgence primordiale, pour chacun de nous, réside dans la réponse appropriée, adaptée à nos besoins vitaux. Et nous y consacrons beaucoup de temps. Vient ensuite le désir qui s'éveille très vite quand les exigences imposées par la survie sont apaisées.

Le désir surgit du manque, du vide, de l'absence et, plus tard, de l'attirance, d'un mouvement qui nous pousse, nous conduit et parfois nous guide vers l'autre. Vers un autre qui a ce que nous n'avons pas, qui resplendit d'une lumière qui nous illumine, qui résonne d'une vibration s'accordant à la nôtre. Le désir est un élan qui cherche à retrouver une énergie perdue. Il est une implosion avant d'être une explosion. Sans désir, nous sommes semblables à des morts vivants : « Quand je fis cette dépression qui a duré deux ans, j'étais immobile intérieurement, sans désir, sans pulsation, inerte, dépossédée de toute envie », racontait cette femme qui a depuis longtemps traversé cette phase, et se présente aujourd'hui non seulement comme désirable, mais surtout comme désirante.

Parfois, à l'image de nos besoins qui se satisfont dans l'urgence, nos désirs s'imposent à nous avec une force quasi totalitaire, ravageant tout sur leur passage. Cet homme me dira : « Quand j'ai vu cette femme pour la première fois, j'ai été envahi par un désir douloureux, oppressant, qui ne m'a pas lâché de toute la soirée. Il fallait que je la revoie, que je la rencontre, que je lui parle… »

C'est ainsi que certains désirs nous aliènent et nous rendent dépendants. C'est un paradoxe : nous nous mettons à leur service au risque de négliger nos besoins profonds et prioritaires, alors que ce sont eux qui devraient nous servir, nous permettre de réaliser nos possibles et favoriser notre plein épanouissement.

Certaines relations amoureuses se construisent autour des besoins et ont ainsi (faut-il le dire sous peine de détruire quelques mythes ?) une durée de vie plus longue, plus harmonieuse, plus apaisée que d'autres. D'autres relations se cristallisent au contraire autour du désir et ont de ce fait un parcours plus chaotique, plus aléatoire, plus risqué.

Il arrive aussi qu'un besoin prenne l'apparence d'un désir pour se réaliser : « J'ai vu un petit tableau représentant un jardin, dans une galerie, tout à fait par hasard car je ne passais jamais dans cette rue. Le magasin était fermé. Je suis repassé quatre fois sans le trouver ouvert. La cinquième fois, j'ai eu un coup au cœur : le tableau n'était plus en vitrine. Je suis entré, tremblant. Le marchand m'a dit qu'il le gardait en réserve, un de ses clients l'ayant retenu. J'étais effondré. Je voulais ce tableau. Il m'a dit de repasser dans huit jours. Huit jours après… j'avais le tableau, le client s'était désisté ! Ce n'est que dix ans plus tard que j'ai découvert, en changeant le cadre, que ce tableau avait appartenu à mon grand-père. Un grand-père que je n'avais pas connu ! Son nom figurait dans un coin, au dos de la toile. Le tableau représentait le jardin de la maison où mon père était né… » Par son désir tenace d'obtenir ce tableau, cet homme a su répondre au besoin très fort de se relier à ses origines.

Que tu sois proche ou lointaine,
je suis toujours dans la fête des désirs.
Je te sais vivante et cela me suffit.

Rêve de vie

À l'intérieur d'une relation amoureuse, surtout si elle devient importante, encore plus si elle se consolide par un mariage ou se concrétise dans une vie en couple, il nous arrive de confier un rêve de vie à l'aimé(e). Ce rêve est constitué d'un ensemble d'images, de souhaits, de désirs que nous projetons dans le futur en y associant l'autre. L'autre, celui ou celle, justement, qui occupe nos pensées, que nous aimons, avec qui nous partageons un projet de vie dans la durée.

Ce rêve de vie peut être : « Avoir une petite maison en Ardèche, avec trois pommiers et une source », ou « Économiser ensemble pour acheter un bateau et faire le tour du monde avec les enfants », ou encore « Se retirer, plus tard, en Ariège, là où l'air est encore pur, où le béton n'a pas fait trop de dégâts ». Quel qu'il soit, ce rêve contient notre croyance intime ainsi que la part d'espérance que nous avons placée en l'autre.

L'un des deux l'a parfois longtemps porté en lui, l'a laissé germer, grandir, s'embellir, l'a poli et repoli durant de nombreuses soirées ou dans les moments les plus inattendus. Il a éprouvé du plaisir (sans savoir que c'était un risque !) à le partager avec l'autre, espérant qu'il (elle) s'y associerait, l'accueillerait dans son imaginaire, l'embellirait et le polirait à son tour. Le rêveur investit ainsi nombre de fantasmes dans son rêve en vue de sa réalisation. Un rêve de vie aide à traverser le présent, il soutient en faisant mieux accepter les difficultés, il est un support intime pour surmonter les obstacles, il encourage à préparer le futur…

Et puis il arrive que le couple éclate, que le mariage se termine par un divorce, une perte, une séparation. Celui qui a confié son rêve de vie à l'autre se retrouve alors devant une faille immense, une béance, plein d'une nostalgie dont il ne comprend pas le sens ! Quand c'est le cas, j'invite la personne qui se retrouve ainsi, castrée de son rêve de vie, amputée d'une part de son imaginaire, à faire une démarche symbolique. Une démarche qui consiste à demander au partenaire en partance ou déjà parti de lui restituer son rêve de vie au travers d'un objet auquel serait symboliquement associé un aspect ou quelque chose de ce rêve de vie : « J'avais oublié de reprendre mon rêve de vie, celui d'avoir un enfant avec cet homme. Je m'étais remariée et nous n'arrivions pas à avoir un enfant malgré tous les examens positifs. Cela dura six ans. Quand j'ai pu faire cette démarche symbolique, reprendre mon rêve de vie, un mois après j'étais enceinte… Je n'ai toujours pas saisi ce qui s'est passé, mais j'ai eu l'impression d'un soulagement immense quand il m'a redonné le petit tableau que nous avions acheté ensemble, qui représentait une petite fille, penchée sur un pont, regardant son propre reflet… »

En se réappropriant ainsi un rêve de vie, il me semble que la personne peut retrouver intacte toute sa créativité, qu'elle peut se réconcilier avec une part profonde d'elle-même, qu'elle met fin ainsi à une situation laissée inachevée.

**La véritable intimité est celle qui permet
de rêver ensemble aux rêves de chacun.**

Cultiver ses propres valeurs

Pour pouvoir cultiver des valeurs, encore faut-il avoir déterminé celles dans lesquelles nous nous reconnaissons. Il est possible de rester fidèle aux valeurs transmises dans l'enfance, il est aussi possible d'être rebelle et de s'en séparer, il est surtout possible de découvrir ses propres valeurs en s'interrogeant sur le sens donné à ses expériences de vie.

Je viens d'une famille modeste, euphémisme pudique pour ne pas dire très pauvre. Les valeurs sociales qui me furent inculquées étaient celles d'un milieu, d'un quartier, d'une époque. Elles concernaient l'ouvrage bien fait, le travail considéré comme rédempteur, l'argent mérité, la sexualité taboue, l'oisiveté condamnable, la nature superflue de la culture, le danger représenté par l'alcool, le bien en tant que distinct du mal, le geste juste, l'attitude modeste, le silence admis comme plus important que la parole, l'homme en bleu de travail, la femme à la cuisine et partout où il y a quelque chose à faire – et à faire il y avait !

D'autres valeurs, plus personnelles, plus intimes, plus profondes peut-être, me furent transmises par ma mère :
• le respect de l'autre : « Tu dois éviter de faire de la peine et de te moquer des plus démunis que toi. »
• le respect de la propriété d'autrui : « Tu ne dois pas toucher, ni même penser à ce qui n'est pas à toi. »
• la foi en un avenir meilleur : « Nous ne pouvons pas descendre plus bas ; un jour tout cela s'arrangera, j'en suis sûre. Le bon Dieu ne peut pas toujours contenter les riches ! »
• le pouvoir salvateur des études : « Si tu travailles bien à l'école, tu ne seras plus un esclave devant le travail, acquérir un *bon savoir* est le seul moyen de devenir quelqu'un dans la vie ! »

• la nécessité de rester digne, de se respecter, même dans les situations difficiles : « Tu ne dois pas t'abaisser à implorer. Veille à demander le moins possible. »

• la valeur de l'engagement : « Si tu as dit oui, tu dois faire. »

• la valeur de l'expérience : « Quand tu ne sais pas, essaie, regarde si cela est bon pour toi et pour ceux que tu aimes. »

• le respect de la vie : « Tu es responsable de ta vie, ne violente pas celle des autres. »

• la méfiance envers les notables et le refus d'imiter les riches, ceux qui *s'en croient* : « Ils peuvent être gentils quelquefois, il leur arrive même de paraître braves et bons, mais ne leur fais jamais totalement confiance, cela se retourne toujours un jour contre toi ! On ne mélange pas les torchons et les serviettes. »

• la valeur de la discrétion, voire de l'anonymat : « Tu ne dois pas te faire remarquer, on a déjà suffisamment de soucis comme ça ! »

Et il existait bien d'autres valeurs... Certaines sont par la suite devenues des croyances qui ont balisé mes premiers tâtonnements dans la vie et ont profondément marqué ma relation au monde. D'autres sont devenues caduques et j'ai dû en inventer ou en adopter de nouvelles.

À mon tour devenu parent, j'ai tenté de transmettre mes valeurs à mes enfants. Quand je parle aujourd'hui avec eux, il m'est difficile de reconnaître ce que j'ai leur ai apporté dans ce domaine. Ce serait à eux de me le dire. Je crois cependant leur avoir transmis un amour et un respect de la vie sous toutes ses formes, un code moral s'appuyant sur la tolérance, l'ouverture, la responsabilisation, la curiosité, le goût de la beauté. Il m'arrive de penser que c'est peu...

**Quand je prends soin d'alimenter
et de respecter mes besoins relationnels,
j'ai moins besoin de faire pour mes manques.**

Parler à son inconscient...

Sans vouloir simplifier à l'extrême ce qui reste d'une grande complexité, il est possible de hasarder quelques remarques sur le fonctionnement de notre psychisme. Voici un siècle, Sigmund Freud nous faisait découvrir, non sans quelques résistances de la part de ses contemporains (et certains résistent encore aujourd'hui !), que nous avions un inconscient. Il voulait dire par là qu'un certain nombre de nos comportements et conduites obéissent à une instance psychique qui échappe à notre conscience. Une instance qui ignore le temps, la logique, la volonté, et même le hasard !

Freud nous a ainsi appris que :
• l'inconscient nous parle ; il nous adresse des messages, pas toujours suffisamment clairs et forts pour retenir notre attention, mais suffisamment dérangeants pour nous interpeller et nous bousculer ;
• les trois grands langages utilisés le plus fréquemment par notre inconscient sont les rêves, les actes manqués et les lapsus ;
• les rêves, par le biais desquels nous nous disons à nous-même des désirs essentiels et pas toujours acceptables, demandant à être interprétés pour délivrer les messages qu'ils contiennent ;
• les actes manqués et les lapsus traduisent des conflits intrapersonnels, des divergences entre des désirs contradictoires, et témoignent d'interdits dont nous avons envie de nous défaire sans toujours y parvenir du fait des injonctions que nous avons reçues, de nos valeurs, de notre fidélité à nos habitudes et plus encore à des messages venus de la nuit de notre histoire.

Les travaux de Freud nous ont ainsi permis d'explorer quelques-unes des richesses de notre psychisme et ont favorisé chez beaucoup (que ce soit au travers d'une thérapie, de lectures ou d'une auto-analyse) des prises de conscience et des changements souvent équivalents à de nouvelles naissances.

Mais Freud ne nous a pas dit qu'il était possible de parler à notre inconscient, de lui adresser des messages afin de rétablir une relation sinon de réciprocité, du moins d'échange. Cela, grâce à trois grands langages : le langage poétique, la création artistique, enfin l'usage et la pratique de la symbolisation et des contes.

C'est pour cette raison que les grands poètes, les grands artistes et créateurs ont un retentissement universel, et qu'il existe dans les cultures dites primordiales une pratique de la symbolique. Je crois qu'il serait souhaitable que chacun de nous se réconcilie avec les dimensions poétique, artistique et symbolique qui l'habitent afin de développer un meilleur dialogue avec son inconscient.

Comme il est doux parfois de croire aux mots tels qu'essence-ciel...

À quoi sert un lapsus ?

À une amie qui me parlait du début de son cancer et qui évoquait l'ablation de son sein, j'ai demandé : «Depuis quand savais-tu que tu avais un nodule sous le sein ?

– Depuis 1981, répondit-elle avant de se reprendre, étonnée. 1991. Oui, oui, je voulais dire 1991.

– Mais tu as dit 1981, as-tu une idée de ce qui s'est passé dans ta vie en 1981 ?

– Je n'ai jamais voulu en parler à personne, dit-elle en se troublant et en éclatant en sanglots. Mon mari a eu une relation avec une autre femme qui a duré presque une année ! »

Ainsi, ce que Freud appelait le retour du refoulé a-t-il ressurgi à l'occasion de cet échange. Peut-être apporte-t-il un éclairage nouveau sur le sens de ce cancer, surtout sur sa gestation silencieuse. Un lapsus qui s'est introduit à l'intérieur d'une phrase, un mot qui est apparu à la place d'un autre, peuvent ainsi révéler un *mal-être* et le plus souvent un conflit intrapersonnel. J'ai en mémoire ce journaliste venant de recevoir un invité et terminant l'entretien en disant : «Je vous ennuie» au lieu de «Je vous remercie». Il exprimait bien la lassitude qu'il avait éprouvée durant l'échange !

Un lapsus révèle, mais aussi tente de cacher ce qui ne peut être dit ou énoncé de façon claire : « Est-ce que tu m'aimes ? Tu ne me dis jamais que tu m'aimes.
– Mais oui, je l'aime.
– Tu aimes qui ?
– Mais toi, bien sûr. Qu'est-ce que tu vas chercher là, à toujours faire des histoires ! »
Ce « mais oui, je l'aime » est à la fois révélateur des sentiments de cet homme pour une autre et en même temps de sa difficulté à prendre position vis-à-vis de sa partenaire.

Un lapsus nous laisse le choix d'entendre (si nous lui accordons une attention réelle) ou de ne pas entendre (si nous nous lançons dans des explications ou des excuses) ce qui est réellement en jeu !

« La vie vient toujours à ma rencontre,
quand je suis au bord de l'oublier »,
nous rappelle Christian Bobin
qui la connaît bien.

Conflit intrapersonnel

La plupart des conflits qui nous animent sont de nature intrapersonnelle et non interpersonnelle comme nous le pensons trop souvent. Je vis un conflit intrapersonnel quand je me sens pris entre plusieurs désirs et que je ne parviens pas à choisir lequel réaliser. Un conflit intime peut surgir quand je reste, presque malgré moi, dans une relation que je ne sens pas bonne pour moi, qui ne correspond pas à mes aspirations, qui me frustre, ou quand je suis en attente d'un changement... chez l'autre. Changement qui ne vient presque jamais ! Le conflit intrapersonnel le plus fréquent provient du décalage entre mes expectatives et les réponses de l'autre ou de mon entourage. Ce conflit est le plus souvent alimenté par des frustrations et des espoirs déçus.

La plupart d'entre nous restons démunis devant ce type de conflit où deux positions se combattent sans qu'aucune parvienne à s'imposer. Choisir l'une, c'est renoncer à l'autre. Quitter la relation insatisfaisante, c'est risquer de perdre à jamais celui (celle) que j'aime malgré tout. Me frustrer ou me limiter (« Je ne veux pas me marcher sur le ventre ! dirait une de mes filles ») en attendant le changement hypothétique de celui dont je fais dépendre une grande partie de ma vie, de mes conduites ou de mes comportements – tout cela demande beaucoup d'énergie et crée de nombreuses tensions. Ne pas savoir renoncer à l'une de mes attentes, en espérant toujours que l'autre m'entendra, que le ciel me comblera, que le hasard jouera en ma faveur, risque de me rendre dépendant.

Pour sortir de cette impasse, diminuer notre malaise, combattre nos frustrations, nous transformons souvent le conflit intrapersonnel en un conflit interpersonnel. Nous choisissons pour cela un autrui accessible, proche : soit notre partenaire conjugal, un collègue de travail, un ami, soit encore un parent ou un de nos enfants ! Un tel déplacement constitue la base de la plupart des problèmes de couple et familiaux : ne pouvant résoudre nos propres déchirements ou sortir de notre conflit interne, nous mettons l'autre en cause, lui reprochons de faire ou de ne pas faire, de dire ou de ne pas dire, ou simplement d'être, bref de ne pas correspondre à nos attentes profondes. Par un ensemble d'accusations, voire de reproches et de disqualifications, nous l'impliquons ainsi dans un conflit dont il n'est pas réellement partie prenante.

Or, un tel déplacement n'améliore en rien la relation. Au contraire, il détériore la communication au point de la rendre encore plus invivable, ce qui ne manquera pas de renforcer le conflit interpersonnel. C'est dans ce type de situation que le principe de responsabilisation doit être mis en avant. Il appartient à celui qui est le plus en difficulté dans la relation de prendre la décision qui apaise son malaise interne au lieu d'en rendre l'autre responsable.

Se contenter de vœux pieux ou attendre
une catastrophe pour amorcer un changement
est une manière de faire qu'il vaut mieux
laisser à celui qui ne veut rien changer.

Il est bon de *se dire*...

Une amie psychologue me racontait ce que lui avait confié un enfant qu'elle suit depuis quelques mois : « Tu sais, depuis que je parle avec toi, j'ai pas besoin de tout garder au fond de moi, je suis plus tranquille dans ma tête ! » Parler et surtout être accueilli, se sentir entendu dans ce que l'on vit et ce que l'on ressent, pouvoir confier à l'autre ce qui pèse et se délivrer de ce qui livre bataille en soi, de ce qui interroge ou angoisse, quel soulagement ! Surtout quand on découvre que ce qui sort de soi ne se retournera pas… contre soi !

Dans certaines familles, il est mal vu de se confier : on ne doit pas *dire*, on ne doit ni se dévoiler, encore moins se montrer (à des étrangers, en plus !), on doit « tout garder pour soi. Ça ne regarde pas les autres ! » Une jeune femme raconte : « J'avais huit ans quand j'ai été violée, c'est ma mère qui a découvert le sang, mais le soir, à table, mon père et elles ont décidé de ne pas porter plainte pour ne pas faire d'histoire dans le village. "On va te soigner et on n'en parlera plus, comme ça tu seras plus tranquille." » Quelques années plus tard, ils engageaient celui qui m'avait violée comme ouvrier agricole… Aujourd'hui, je ne peux plus leur parler ! »

Pour certains, parler de son intimité tient de l'obscénité. Il semble que les femmes hésitent moins, osent davantage s'exprimer, prennent le risque de se dire et ainsi de se libérer du trop-plein de détresse ou de désarroi qui les habite. Elles n'hésitent pas à aller consulter un psychologue, un médecin pour tenter de mieux entendre ce qui les perturbe ou mobilise leurs inquiétudes. Les hommes paraissent avoir plus de réticences, plus de réserve. Ils commencent cependant à découvrir que parler est possible et moins traumatisant que tout garder pour soi ! Que la fuite dans le *faire* qui les habite souvent ne leur permet pas toujours de rencontrer leur être profond.

Il est possible de parler sur plusieurs registres :
• partager des idées, des points de vue, confronter des opinions... On le fait généralement entre compagnons de vie ou entre collègues, notamment quand il faut prendre des décisions.
• s'exprimer, se délivrer d'un trop-plein de préoccupations. On le fait avec beaucoup de naturel chez le coiffeur, à la cafétéria ou sur le bord du trottoir quand on rencontre une oreille disponible.

Cela suppose, chez celui qui écoute, une capacité à se taire et à se décentrer de lui pour se tourner vers l'autre et lui accorder toute son attention. C'est ce que Carl Rogers a nommé l'*écoute active* : « Oui, j'ai entendu que tu supportes mal que ta fille te réponde grossièrement, cela te blesse dans ton image de mère », ou « Je sens bien combien tu as été atteint par la réflexion de ta collègue, as-tu entendu ce que cela réveillait en toi ? »

Mais il est aussi possible de parler pour mieux entendre ce que l'on veut se dire à soi-même. Car le plus difficile ce n'est pas de dire à autrui, mais à soi.

En matière de relation, il y a rarement une solution toute faite, même si celui qui vous parle semble attendre de vous une réponse claire et définitive. Il n'existe généralement qu'une évolution vers un devenir ouvert au surgissement de l'imprévisible et à toutes les naissances potentielles d'une existence en mutation permanente. Comme disait l'enfant que je citais au début de ce texte : « C'est bon de parler et de se sentir entendu... »

Il me semble que l'on se ment aujourd'hui à soi-même avec plus d'habileté qu'autrefois, ce qui rend le travail sur soi plus difficile.

Dynamiques psychologiques

La plupart de nos échanges s'organisent autour de cinq grandes dynamiques relationnelles que nous-même ou l'autre mettons en place. Elles sont pour la plupart tenaces, efficientes, et qu'elles soient hypertrophiées ou hypotrophiées (chez nous ou chez l'autre), elles sont quasi indestructibles !

La dynamique de l'éponge
La personne qui *fait l'éponge* absorbe tout, non seulement les malheurs, les catastrophes, les épidémies, les souffrances individuelles et collectives, mais aussi les petits et grands bonheurs et tous les plaisirs qui passent à sa portée, cela dans la plus grande des confusions : c'est pour elle ! Tout ce qui arrive de par le monde, proche ou lointain… c'est toujours pour elle ! Tout se passe comme si, dans une installation de plomberie, on mélangeait les conduites d'eau : l'eau potable avec l'eau de vidange, si bien qu'au robinet, plus rien n'est bon ! Pour une éponge, quelles que soient les expériences vécues, le monde est souvent grisâtre ou a irrémédiablement mauvais goût !

La dynamique du filtre
Celui qui la pratique retient surtout le mauvais et laisse passer le bon. Vivre avec un « filtre » est décourageant et éprouvant, mais surtout épuisant. Cela donne le sentiment d'être vraiment nul dans tous les domaines. Quoi que vous proposiez, offriez ou partagiez, le filtre ne retient que le négatif, ce qui ne va pas, car c'est sa spécialité : garder essentiellement tout ce qui ne passe pas au lieu de retenir ce qui passe bien. Fuyez avant que le désespoir ne vous dévitalise !

La dynamique de l'entonnoir
Simple comme un entonnoir, la personne ne garde rien. Incapable de retenir, elle laisse tout s'échapper : le bon et le pas bon, le possible et l'impossible. Elle traverse la vie en état de manque permanent, avec le

sentiment de n'avoir rien reçu, totalement anesthésiée, les sens usés par tant de choses qui n'ont laissé aucune trace en elle. Elle n'a rien perçu, rien donné, gaspillant son existence sans même le savoir, éliminant aveuglément tous les cadeaux de la vie. L'entonnoir, ce n'est pas vous bien sûr… c'est l'autre !

La dynamique de la passoire
Celui qui connaît cette dynamique sait garder le bon et laisser passer le mauvais. Il trouve son compte à capter les miracles de la vie, les rires et les douceurs, le positif et les possibles de l'existence. Il ne s'encombre pas de déchets, laisse la pollution à l'extérieur de la relation. Il relativise, dédramatise et accepte beaucoup de la vie avec une grande ouverture. Il est bon de vivre avec une passoire qui ne retient que le meilleur de nous et des autres.

La dynamique de l'alambic
Elle est la plus rare et la plus recherchée. Celui qui la connaît sait transformer, recueillir le bon et le merveilleux dans tout ce qu'il rencontre. De tout ce qu'il vit, il retire l'essentiel. Il peut ainsi offrir le meilleur. Les alambics sont précieux, si vous en rencontrez un, gardez-le au plus près de vous…

Savez-vous avec quelle personne vous vivez ?
Savez-vous ce que vous lui proposez ?

L'orgasme au masculin

Déjà, prévenir le lecteur fidèle que réfléchir sur l'orgasme au masculin n'est pas à proprement parler une partie de plaisir ! Je sais d'avance que parler ou écrire sur un tel sujet comporte nombre de risques ! Mais je fais confiance à ceux qui me liront pour aller plus loin en eux-mêmes et entendre au delà des mots ce qui n'est pas dit. Je suis en effet certain que beaucoup sauront se référer à leurs propres expériences pour affiner leurs interrogations et approfondir leurs découvertes, et pourquoi pas, changer de comportement à l'égard de leur partenaire.

Disons tout d'abord que nous connaissons mal, les uns et les autres, notre propre sexe. Notre savoir est restreint, ponctuel, extérieur, limité à quelques expériences habituelles et à quelques autres un peu plus imprévues. Cette méconnaissance ou cette fausse connaissance d'un organe auquel la plupart d'entre nous tenons beaucoup peut sembler ahurissante. Est-elle simplement due au fait que nos parents ne nous ont pas appris à accorder l'attention nécessaire à notre sexe, ou au fait que nous ne nous intéressons à lui que lorsque cela ne va pas, quand nous éprouvons un dysfonctionnement ou quand nous en souffrons ? « Maman, ça pique, j'ai mal - Ce n'est rien mon chéri, je vais chercher de la pommade », « Maman, c'est quoi faire l'amour ? - Tu verras plus tard, tu as bien le temps d'y penser ! », « Maman, c'est tout rouge - Ce n'est pas grave, pense à autre chose, ça ira mieux ! », « Maman, regarde, la serviette de toilette tient toute seule ! - Tu ferais mieux de sortir du bain et de te préparer pour le repas ! » J'écris « Maman », car dans ma génération, et je ne pense pas que ce soit très différent encore aujourd'hui, ce sont les mères qui prenaient soin de l'intimité de leurs enfants, et il paraissait difficile, sinon impossible, de parler de « ça » à papa.

Cela dit, il me semble qu'un grand silence existe autour du plaisir masculin. Silence chez les hommes mais aussi chez les femmes qui les fréquentent. Peu de témoignages, ou alors des lieux communs, des généralités, voire des plaisanteries parfois excessives et souvent douteuses. Le plaisir masculin est un thème à propos duquel circulent, me semble-t-il, nombre de mythes, de croyances erronées, d'affirmations fantasmatiques. Ce sujet qui fait l'objet de certitudes « en conserve », d'étalage de prouesses, de comparaisons, suscite en fait beaucoup de doutes, d'inquiétudes et d'incertitudes. C'est un sujet dont il faudrait parler avec humilité et tendresse, ainsi qu'avec une écoute prudente et sereine et en se méfiant surtout des certitudes.

Une de ces certitudes est qu'éjaculation signifie orgasme. Combien nombreux sont les hommes (et les femmes) qui établissent une équivalence entre éjaculation et orgasme. Pour certains l'éjaculation peut n'être que de l'ordre d'un apaisement, pour d'autres, elle peut correspondre à une décharge au sens fort du terme, une décharge d'excitation, un lâcher prise d'angoisse, certes avec la satisfaction qui s'y rattache, mais avec peu ou pas de plaisir ; quelque chose qui serait de l'ordre de l'explosion, alors que l'orgasme serait de l'ordre de l'implosion. Pour beaucoup, bien sûr, l'éjaculation est dans l'ordre du plaisir, mais un plaisir qui ne débouche pas nécessairement sur l'orgasme, un plaisir limité aux organes génitaux et non pas global, sensuel et total comme peut l'être un orgasme.

Les femmes ne s'y trompent pas, elles éprouvent un sentiment de malaise quand elles sentent leur partenaire tendu, impatient, pressé de les pénétrer et de se satisfaire sans plus : « Parfois je me sens souillée, je ne veux plus être le réceptacle de son angoisse… », « Je sens bien que chez lui, le plaisir est court, fugitif. Il ne reste pas dans son corps, il ne se répand pas en lui… »

La découverte de l'abandon et du plaisir peut se faire tardivement dans une vie d'homme.

Un ami me disait : « Tu te rends compte, je viens de réaliser, en ayant mon premier orgasme à 42 ans, que pendant 24 ans je n'ai fait l'amour qu'avec le bout de mon pénis ! » Un autre me confiait : « J'ai commencé à faire l'amour autour de mes 17 ans et jusqu'à l'âge de 27 ans j'étais persuadé que c'était bien. Je n'avais aucune inquiétude, aucun questionnement particulier. Et ce jour-là, avec ma femme, je ne sais ce qui s'est passé, dans mon dos, dans mon cou, j'avais des picotements partout, des vibrations, mon corps chantait, je devenais immense, je m'accrochais à elle en criant, je ne sais pourquoi : "ne me perds pas, ne me perds pas !" J'ai basculé dans une sorte de lumière, je respirais avec chacune de mes cellules, quelque chose d'inouï me traversait. Aujourd'hui encore je n'ai pas de mots pour l'exprimer… Depuis, je sais pour l'avoir vécu de nombreuses fois ce qu'est un orgasme, jusqu'alors j'étais dans une sorte de leurre, une satisfaction béate du devoir-accompli ! Et je ne trouve personne avec qui parler de cette expérience : vivre un orgasme ! »

Une femme me précisait : « Avec mon ami, je sens bien dans mon corps quand il est dans l'abandon, dans le plaisir. Il vibre de partout. C'est comme le prolongement d'une longue note de musique qui chante dans tout son être. Mais je sens aussi quand il n'est que dans la décharge, comme s'il déversait toute son angoisse, et parfois même son agressivité, dans mon vagin. C'est terrible pour moi. À ce moment-là j'ai envie de le rejeter et je me rends compte que je lui en veux ! » Une autre femme dit plus violemment : « Je ne veux plus être une poubelle à sperme ! »

Une femme mariée depuis 30 ans témoigne : « J'ai l'impression que pour lui c'est un challenge, il faut qu'il réussisse, qu'il y arrive. Parfois c'est pathétique, il ahane comme un possédé qui ne veut pas renoncer. Nous ne sommes, ni lui ni moi, dans le plaisir, mais dans l'accomplissement d'une tâche. Nous tentons de survivre à une épreuve que nous pensons devoir conduire jusqu'au bout. Je n'ai jamais osé lui parler de cela tant j'ai peur de le blesser, et pourtant… » Nous sentons dans ce « et pourtant » tout ce qu'il serait nécessaire que cet homme et cette femme se disent pour vivre dans le « être en amour » plutôt que dans le « faire l'amour ».

Au delà de ces témoignages, il importe d'entendre que beaucoup de partenaires ont une grande méconnaissance de la nature même du plaisir, des possibles que peut offrir le partage, de la liberté ou de l'impossibilité de se dire et d'échanger des mots pendant la rencontre des corps.

En matière de plaisir, qu'il soit féminin ou masculin, il faudrait parler non pas d'orgasme mais des orgasmes. Nous le savons bien, aucun ne ressemble à un autre, aucun ne peut servir de référence ou de modèle ni se vivre dans la répétition ou l'uniformité par rapport à ceux qui l'ont précédé.

Je pense avec une certaine émotion à ma rencontre avec le petit livre de Jacques Biolley *Comme un ciel de Chagall* (éditions Wallada) dont le sous-titre est *Chronique extraordinaire d'un pénis ordinaire*. Dans cet ouvrage, un pénis raconte sa vie de pénis, avec tendresse, liberté, humour et tellement de *vivance* que chacun se sent concerné. Ce livre, je dois le dire, a ouvert mon regard et mon écoute sur mon propre sexe et m'a réconcilié avec ma sexualité en me confirmant que je n'étais pas totalement dans l'erreur et que j'étais loin d'être un obsédé sexuel comme j'ai pu le craindre à un moment donné tant je me sentais mobilisé par tout ce qui touchait à la sexualité.

À l'orgasme masculin correspond un ensemble de sensations et de *ressentis*, de phénomènes physiques et de manifestations gestuelles et émotionnelles qui sont si personnels, si intimes qu'il est le plus souvent difficile de se les avouer... à soi-même. La forme littéraire, poétique ou romanesque, apparaît comme une heureuse façon d'en parler. Dans ce domaine, de nombreux poètes et écrivains se sont donné la liberté de se dire sous le couvert de métaphores, en utilisant des euphémismes qui sont d'un grand secours pour tenter de traduire ce qui paraît souvent tenir de l'indicible. Il suffit de relire Verlaine, Rimbaud ou Aragon et bien d'autres pour entendre un peu plus ce qui semble si difficile à reconnaître, parfois inavouable tant l'intensité du plaisir peut surprendre. Pour ne pas avouer comme Marcel Camus « le regret du désir perdu dans la jouissance » et faire perdurer le besoin « de garder en fleur le désir, pour rester dans l'enchantement du désir sans fin », ainsi que nous le dit le chanteur Julos Beaucarne en précisant avec l'humour tendre qui est le sien que « c'est toujours à la veille des vacances que les vacances sont les plus belles ».

Il faudrait aussi explorer tout ce qui se passe pendant les périodes pré-orgasmique et post-orgasmique ; pour en parler plus simplement, essayer d'entendre le cheminement du plaisir en soi durant les prémices de l'abandon et le retentissement chez l'autre de son désir et du nôtre ; pour suivre les mouvements, les gestes, les sensations, les images mentales, l'imaginaire qui s'enflamme ou se perd, les mots qui jaillissent, les ardeurs, et le temps qui semble se ralentir jusqu'à l'immobilité et qui soudain illumine tout l'espace de la rencontre.

Il faudrait aussi parler des cris, exprimés ou retenus, des prudences : «Pas si fort, tu vas réveiller les enfants ! », des interdits : «Chut ! Je ne veux pas que les voisins me considèrent comme un obsédé ou un violent qui brutalise sa femme la nuit venue ! » Je me souviens d'un de mes enfants disant au petit-déjeuner : «Alors vous vous êtes *royaumés* longtemps hier au soir, vous en avez fait du bruit ! » en plongeant aussitôt son nez dans son bol de chocolat ! *Royaumé* devint, dans notre famille, le terme consacré quand nous anticipions un plaisir important : «On va se royaumer ensemble ! »

Parler aussi de l'après, des vibrations qui se prolongent, de l'amplification ou de cette dilatation de soi si soudaine, si ample, si immense qu'elle nous emporte au plus loin de nous, au plus près de l'autre. Cette violence de l'implosion nous fait craindre pour notre survie alors que la vie n'a jamais paru si vivante que dans ces moments où la fête des corps explose. Faut-il penser, comme Julos Beaucarne l'écrit dans *Mon terroir c'est les galaxies* ! : «À ce moment précis toute l'énergie de l'univers est perçue par deux êtres qui sont l'un et l'autre l'univers, l'énergie de l'univers en perpétuelle expansion, les habite entièrement. » ?

De mon propre vécu et des témoignages que j'ai pu entendre, je retiens surtout quatre mots qui reviennent et semblent «envelopper» l'expérience du plaisir chez l'homme : vibration, énergie, expansion et plénitude. À chacun d'écouter en lui les cheminements du plaisir dans ce domaine si secret et si important. Car l'absence d'un plaisir de cette nature est souffrance et synonyme de non-vie.

Aimanitude : science non exacte, qui permet d'étudier chez chacun la capacité approximative et aléatoire d'aimer et d'être aimé.

Croyances et certitudes

Au cours d'une existence nous emmagasinons une quantité importante de croyances. Le plus souvent, elles tentent de se transformer en certitudes, quelquefois même en vérités ! Ces croyances-certitudes nous rassurent et nous aident à affronter l'imprévisible de la vie.

Au cours des phases d'évolution liées à des changements personnels, la remise en cause de certaines croyances qui se sont avérées bonnes et valables pour nous par le passé mais se révèlent caduques au présent ne se fait pas sans souffrance, insécurité et résistances.

Les croyances les plus tenaces naissent dans l'enfance. Elles sont des relais, des médiateurs propres à nous permettre d'affronter les incertitudes de la vie et nos propres doutes. Elles tentent de remplir une partie du vide créé par les incohérences, les contradictions ou ce que nous ressentons comme des mystères dans le monde qui nous entoure. Mais elles peuvent par la suite se révéler de véritables carcans qui bloquent la créativité et freinent les engagements. « Enfant, je croyais que l'école allait me confirmer que nous étions tous égaux, j'y ai découvert l'injustice et l'humiliation, peut-être est-ce pour cela que je suis devenu enseignant ! » me disait l'an passé l'instituteur de ce petit village de Provence. Nous construisons nos croyances à partir des croyances, des injonctions, voire des menaces qui émanent de notre entourage : « Pour se marier, on n'a pas besoin de faire des études prolongées ! », « Si tu n'en fais qu'à ta tête, jamais personne ne t'aimera ! » Elles peuvent consister en des formes d'auto-injonctions que nous nous adressons à nous-même pour apprivoiser une situation ou un événement, pour baliser une démarche ou nous en servir comme d'un garde-fou lorsque l'irrationnel fait irruption – même si la croyance s'appuie elle-même sur de l'irrationnel ou sur une survivance de la pensée magique : « Si je suis sage, ma sœur guérira ! », « Si je travaille bien en classe, mes parents ne se disputeront plus… », « Si j'ai deux fois dix sur dix en calcul, maman m'aimera mieux que mon frère qui est nul en maths ! »

Avoir une meilleure conscience de nos croyances peut nous permettre de découvrir la somme d'énergie que nous déployons pour nous y conformer et la manière dont elles structurent nos réponses et nos conduites à l'égard d'autrui. Nombre de nos engagements à l'égard de l'autre ne se font pas en fonction de ce qu'il est, mais en fonction de ce que nous imaginons devoir faire du fait de nos croyances.

Une mise à jour de nos croyances pour les rendre plus congruentes avec nos sentiments et nos expériences actuelles leur donnera un ancrage plus solide et nous permettra d'être davantage en adéquation avec les personnes et les situations.

Ce que nous appelons « évolution » ou « changement » résulte le plus souvent d'une transformation de nos croyances que nous acceptons de repenser et de modifier afin qu'elles soient plus adaptées à ce que nous sommes devenu.

Il n'existe qu'une seule certitude,
celle qu'un jour nous mourrons,
le reste n'est que croyance provisoire.

Rien ne vaut une bonne croyance ! ?

Sur de nombreux sujets et sur certains aspects de la vie tels que la mort, l'éducation des enfants, la fidélité et bien d'autres encore, nous avons des croyances, c'est-à-dire des certitudes, qui relèvent pour nous de l'évidence.

En matière de croyance, nous n'avons besoin ni de preuves, ni de justifications ou d'argumentations : nous sommes sûrs de nous, mus par l'évidence : « C'est comme ça », « Ça tombe sous le sens », « Il est impossible que ce soit autrement ».

Nous entretenons ainsi diverses certitudes : « Quand on aime vraiment, c'est pour toujours », « Les enfants doivent respecter leurs parents et surtout leur obéir ! », « C'est Dieu qui m'avait donné cet enfant, c'est Dieu qui me l'a repris ». Ces croyances sont semblables à des garde-fous, elles font parfois office de balises, et à ce titre elles nous sont indispensables pour jalonner notre parcours de vie. Elles nous permettent, aussi, et surtout, de faire face à l'imprévisible, à l'incohérence ou à l'angoisse que déclenchent en nous certaines situations dont la complexité nous échappe. Rien ne vaut une bonne croyance pour éviter de se poser des questions !

Cela veut dire aussi que certaines croyances peuvent altérer le jugement au point que nous pouvons vouloir les généraliser et les imposer parfois avec beaucoup de violence à ceux qui ne les partagent pas. De nombreuses guerres, parmi les plus récentes, ont été déclenchées par les croyances de quelques hommes d'État qui les habillaient d'une idéologie pragmatique leur servant de masque et leur permettant de justifier tous les excès.

Une croyance intime est souvent nourrie par notre propre aveuglement, notre surdité. Un ami me disait : « J'étais sûr que ma femme était la plus fidèle et la plus aimante des femmes, jusqu'au jour où j'ai découvert qu'elle avait une relation tierce avec un autre homme, et cela depuis cinq ans. Ce jour-là, j'ai perdu une double croyance : d'une part, que ma femme m'aimait, et d'autre part que c'était pour toujours ! »

Le propre d'une croyance est qu'elle est irrationnelle. La contester ou chercher à la modifier de l'extérieur ne fait le plus souvent que la consolider. Seul celui qui entretient une croyance comme étant vraie pour lui peut y renoncer ou en changer. Nous pouvons tout au plus respecter la croyance de l'autre, voire la lui refléter comme étant sienne : « Oui maman, j'entends bien que tu crois que lorsqu'on a trois enfants et une femme attentionnée, on ne doit pas divorcer », ou « Oui papa, je connais ton opinion sur la valeur des mathématiques qui sont selon toi la voie royale pour accéder à Polytechnique, mais je suis attiré par les lettres et les langues anciennes… » Reconnaître ainsi la croyance de l'autre comme étant sienne ne nous fera pas pour autant renoncer à la nôtre !

Celui qui croit que des mots peuvent tuer
confond le discours et le message.
Le discours est ce qui est dit,
le message ce qui est entendu.

Dé-croire...

L'essentiel de nos conduites et comportements repose sur des croyances plus ou moins élaborées, pour la plupart anciennes, qui se sont inscrites en nous très tôt dans notre histoire. Au fil de la vie, ces croyances sont confortées ou ébranlées par toutes sortes de confirmations ou de mises en cause : « J'ai cru longtemps que mes parents s'aimaient malgré les disputes fréquentes qui agitaient leur vie et la nôtre… » Il en va ainsi des signes et des messages que nous captons et qui alimenteront ou démystifieront nos croyances.

Nous ne sommes pas tout à fait libres face à des choix ou à des renonciations qui impliqueraient une modification, une remise en cause de nos croyances. Notre façon d'être au monde est conditionnée par les dynamiques suivantes :
• je prends, je retiens ce qui me paraît de nature à alimenter mes croyances. Et quand le mouvement s'inverse, je prends, je retiens tout ce qui me permet de les remettre en cause ! Je peux ainsi rejeter une croyance et même l'oublier quand je l'ai remplacée par une autre ;
• j'adhère à ce qui me vient de l'autre ou je le rejette, non en fonction de la valeur ou de la pertinence de son propos mais en fonction de mes croyances qui, avec le temps, sont devenues des certitudes.

Une croyance, même erronée, peut se révéler précieuse. Elle peut en effet nourrir une fixation inconsciente et conforter ma position, me sécuriser – tant que je la garde ! Qui plus est, autour d'une croyance, se développe une façon d'être, se modèle un type de regard, se construit une forme d'écoute, se solidifie une position de vie. Même lorsque nous découvrons que nous avons été leurrés par certaines croyances, nous réalisons que leur impact a rempli une fonction importante dans notre maturation et dans notre évolution.

La démystification d'une croyance peut se révéler un aiguillon stimulant pour accéder à un champ de conscience plus adapté au réel: «Je croyais que, vu l'état de ma hanche, une prothèse se révélerait inutile et sans intérêt. Quarante ans plus tard, je découvre les bienfaits et l'incomparable confort de marcher avec une prothèse.» Mais la perte d'une croyance peut aussi ouvrir une blessure qui restera douloureuse à jamais.

Les réajustements que nous ferons n'excluront ni la nostalgie vis-à-vis de nos croyances passées, ni les doutes et les conflits quand il s'agira d'adopter de nouvelles... croyances. Retrouver le souvenir d'une croyance, s'y replonger un moment, s'y perdre encore, l'évoquer sans s'engloutir dedans pour en ressortir plus vivant, plus enjoué, libéré et ouvert à la découverte d'un nouveau savoir, est un des chemins possibles permettant de faire le deuil d'idées caduques.

La croyance nouvelle, qui se substitue à l'ancienne, n'est pas toujours bien établie ni suffisamment intégrée pour nous rassurer totalement. Nous nous sentons alors fragilisés, en équilibre entre deux mondes incertains... Le savoir nouveau qui prend appui sur une croyance récente, pas très bien enracinée, peut alors s'exprimer avec quelques excès: «La première fois que j'ai lu un livre de ce sage indien, la plupart de mes croyances ont basculé. J'ai tout lâché: ma famille, mon travail, mon pays pour aller vivre quatre ans dans un ashram. Puis j'ai découvert les rivalités, les luttes de pouvoir, les enjeux financiers qui divisaient les disciples. Aujourd'hui je repars déstabilisé, sans aucun repère pour tenter de recommencer ma vie», m'a dit dans l'avion qui le ramenait de Bombay un homme fatigué et amer de s'être perdu dans une voie qui s'est révélée une erreur dans sa vie.

Un travail personnel peut être nécessaire pour démystifier certaines croyances erronées et induire l'évolution nécessaire du *dé-croire* au croître. Grandir de l'intérieur suppose, d'une certaine façon, pouvoir remettre en cause des croyances qui ne correspondent plus à celui, à celle, que nous sommes devenu. Le changement de croyances peut s'accompagner d'un déplacement du désir et donner un goût amer au présent. Parfois, même quand l'avenir est incertain et peu assuré, nous avons besoin de croire à nouveau !

Pour que nos croyances ne deviennent pas des certitudes déguisées, une part d'irrationnel doit subsister en nous, qui permettra à notre imaginaire et à notre activité symbolique de s'épanouir. C'est à cette source intime que viendront s'abreuver notre créativité et notre capacité de *dé-croire* quand il le faut…

Quand tu échanges un œuf contre
un œuf, tu as toujours un œuf.
Quand tu échanges une idée contre
une autre idée, tu as deux idées.
Quand tu échanges de l'énergie avec
une autre énergie, tu crées de l'amour…

Zones d'intolérance

Notre sensibilité, notre psychisme, nos capacités d'adaptation ne se présentent pas de façon uniforme et cohérente. Nous avons des zones de vulnérabilité, de fragilité et de tolérance très différentes et variables, qui sont fonction de l'histoire de chacun et de son évolution. Ceci explique, par exemple, qu'un même événement comme la perte d'un parent, un divorce ou un déménagement ne retentisse pas de la même façon sur chacun d'entre nous ou en chacun de nos enfants. L'un abordera la situation comme une péripétie banale de l'existence ou comme un incident sans trop d'importance. Un autre la vivra comme un conflit majeur, une tempête, voire un cataclysme interne qui perturbera toute sa sphère émotive, affective et relationnelle.

Le retentissement d'un événement dépend de l'impact qu'il a sur notre histoire intime. Cet impact varie lui-même en fonction des situations inachevées du passé et des blessures inscrites dans l'enfance. Une phrase légère, lancée avec humour au cours d'un repas entre amis, telle que «Attention, il ne faut pas dire du mal de sa fille devant elle, sinon elle sort ses griffes», peut déclencher une réaction disproportionnée avec la situation, surtout si elle réactive toutes les disqualifications que cette femme, la mère, a subies durant son enfance. Nos zones d'intolérance sont en relation directe soit avec des croyances profondément enracinées, soit avec des épisodes violents et blessants de notre histoire personnelle auxquels nos croyances sont d'ailleurs liées.

Une réflexion banale de ma partenaire sur le fait que j'ai «encore oublié de fermer la porte du garage» peut me renvoyer à une image négative de moi, qui est née dans ma petite enfance et s'est ensuite structurée pour me donner une perception dévalorisée de ma personne. Le commentaire négatif d'un père, souvent fait en public, «De toute façon on ne peut lui faire confiance, il ne fait jamais les choses correctement, ce n'est pas comme son frère, lui au moins on n'a pas besoin de repasser derrière lui ! » a inscrit chez cet homme une zone de vulné-rabilité si sensible qu'elle peut se réveiller dans les moments les plus inattendus.

Le réveil de ces zones d'intolérance nous surprend quelquefois. Quand, par exemple, nous pensions avoir pris du recul ou être parvenu à une forme d'acceptation et de tolérance vis-à-vis de telle ou telle question et que nous nous voyons réagir à la vitesse de l'éclair. C'est en général parce que cette question touche l'une des cinq grandes blessures de l'enfance : l'humiliation, l'injustice, la trahison, l'impuissance et l'absence d'amour.

Certaines zones sensibles et meurtries de nous-même peuvent être le produit d'événements récents ou de manifestations négatives, voire violentes, qui nous ont déstabilisé ou fait perdre notre confiance en nous momentanément ; en particulier quand cela se produit dans le cadre des relations les plus significatives de notre vie : familiale, amou-reuse ou professionnelle.

Peut-être devrons-nous prendre position devant la personne qui, invo-lontairement, aura réactivé en nous ces zones de souffrance, lui dire, en prenant sur nous et sans la mettre en cause, que sa parole, son compor-tement ou son geste a fait resurgir une douleur ancienne liée à une situation non résolue, qui remonte douloureusement à la surface, lui parler de nous non pour la culpabiliser, mais pour être entendu au lieu précis où se joue notre malaise.

L'important n'est pas dans la vérité ou la beauté de la réponse, mais dans le chemin que la réponse fait en l'autre.

« Ma voiture ! »

Ils ne le disent pas toujours, mais témoignent en permanence par mille attentions de leur amour pour leur voiture, de la place importante qu'elle tient dans leur vie ! Pour l'homme d'aujourd'hui surtout (c'est moins fort chez la femme), la voiture est une sorte de double : « Toucher à ma voiture, c'est m'atteindre directement. Elle me représente, elle fait partie de moi, je la sens presque dans mon corps et tout ce qui lui arrive m'arrive. »

Une sorte d'impérialisme de l'automobile prend ainsi le pas sur d'autres valeurs, aliénant tout autre engagement. En témoignent les soins et la vigilance dont la voiture est l'objet, qui semblent parfois pour le moins excessifs ! Il suffit de voir et d'entendre avec quelle hargne, quel mépris de la personne deux automobilistes peuvent s'interpeller, s'agresser, se reprocher d'avoir fait une manœuvre risquée qui aurait pu, qui « aurait seulement pu » porter préjudice à une aile, à un garde-boue, à un pare-chocs !

Pour d'autres, la voiture est une espèce de résidence secondaire. À la fois dépotoir affectif, lieu de refuge, accessoirement lieu de déplacement, elle garde la trace des multiples centres d'intérêts de son occupant principal, autant que de ses odeurs : « Quand je suis entré la première fois dans sa voiture, l'odeur de son chien était si intense, si tenace, que j'ai bien perçu que je n'avais que la seconde place dans sa vie ! » me disait avec philosophie et bon sens un ami.

La voiture peut aussi être une amie, une compagne fidèle, précieuse. Combien d'entre nous, après un conflit conjugal, une irritation familiale ou professionnelle, prennent leur voiture et *foncent* durant quelques heures pour oublier leur colère, tenter de se calmer et de retrouver la sérénité. Au point qu'aujourd'hui, circuler et revenir chez soi entier semble participer d'une succession infinie de petits miracles !

Quand on pense à l'état émotionnel de certains et à ce qui s'agite dans leur tête, quand on songe à ceux qui ruminent de sombres pensées, qui gesticulent ou sont emportés dans des rêves lointains, on peut vraiment se dire que les automatismes acquis, puissamment intériorisés, fonctionnent parfaitement bien... à de rares exceptions près ! Ou encore que la voiture, vigilante, bienveillante, se prend en mains toute seule et assure sa propre sauvegarde ! Heureusement, il en est ainsi pour beaucoup, dont moi-même, sans quoi je ne serais pas là pour vous le dire !

Aujourd'hui, les points forts de l'espérance consistent à imaginer que la détresse, la violence et la souffrance qui traversent le monde ne sont que des moments de transition.

« Exploser ! »

Il nous arrive parfois d'exploser, de perdre le contrôle, de «péter les plombs» comme le dit l'expression populaire. L'élément déclencheur est souvent un fait ou un incident bénin: un retard de cinq minutes à un rendez-vous amoureux, une remarque aigre-douce du mari ou de l'épouse, un verre renversé à table par l'enfant. Et soudain, sans avertissement, une explosion disproportionnée, violente, parfois angoissante, va sidérer l'entourage, le plonger dans un état de choc et l'entraîner à des réactions de protection qui ne sont pas toujours adaptées.

Un ami m'a raconté: «Je venais de rentrer du travail, les enfants étaient déjà à table, j'embrasse chacun, et ma femme en dernier qui détourne la tête. Je me lave les mains au robinet de la cuisine pour rester avec eux et tenter de rattraper un peu mon retard, quand elle lève la soupière très haut, la lâche: celle-ci explose dans un bruit de tonnerre! Ma femme, comme stimulée par le bruit, balaie d'un revers de main tout ce qui est sur la table. Je fais sortir les enfants de la cuisine, je m'approche d'elle, je reçois des coups de casserole. Ce n'est que lorsque tout est cassé dans la cuisine qu'elle s'assied et se met à pleurer. Ce fut le début d'un cataclysme conjugal et familial qui dura plus d'un an. À partir de là, tout devint un problème… »

Exploser de cette manière est généralement un signal, un appel, l'expression d'un trop-plein de frustrations, d'un ras-le-bol d'insatisfactions, d'incompréhensions et de malentendus accumulés. Quelqu'un me racontait comment il avait explosé dans le bureau de son chef de service: «Je me suis levé, je me suis mis à danser autour de son bureau une sorte de danse du scalp, avec des cris et un langage fait de borborygmes et de hurlements. Mon patron était affolé. À la fin, malgré mon retour au calme, il a appelé le SAMU (Service mobile des urgences). Il pensait que j'étais devenu fou! Tout cela m'a fait beaucoup de bien! Comme si je lâchais quelque chose d'étranger à moi-même qui m'habitait depuis trop longtemps. »

Le mot « exploser » recouvre un ensemble de comportements susceptibles de fonctionner comme une soupape de sécurité quand la tension est trop grande au sein d'une relation proche ou significative. Cela peut suffire à décongestionner une situation douloureuse.

Parfois, au contraire, l'explosion est une porte ouverte à des excès plus graves : « Quand elle m'a dit qu'elle voulait divorcer, j'ai ouvert son sac à main, j'ai pris ses papiers, ses clés de voiture, celles de l'appartement, et je suis parti en l'enfermant. Nous étions au 6e étage. J'ai pris ma voiture, j'ai roulé à 180 km/h et je me suis réveillé à l'hôpital avec le bassin fracassé. Entre-temps elle avait appelé les pompiers pour aller dormir chez sa mère ! Avec le recul, je crois qu'avec mon accident, j'ai voulu l'immobiliser, elle, l'empêcher de partir en me paralysant. »

Exploser dans un embouteillage, dans les gradins d'un stade, dans un magasin risque d'être un exutoire qui n'est pas toujours salvateur, mais annonciateur d'enjeux qui seront à clarifier par la suite.

Entendue comme un avertissement par les protagonistes d'une relation, l'« explosion » de l'un d'eux peut marquer le commencement d'un réaménagement, d'une remise en cause, d'un changement du système relationnel… défaillant !

La pire ou la plus terrible des colères est la colère sincère qui se nourrit de ses propres certitudes.

La solitude à temps plein

Être seul ou seule ne veut pas dire être solitaire. De nombreuses solitudes sont habitées par des relations amicales, des activités, des centres d'intérêts divers. Il existe des solitudes ouvertes sur le miracle des rencontres imprévisibles et d'autres plus fermées, plus défensives.

On ne vit jamais totalement seul quand on est un bon compagnon pour soi. De fait, la pire des solitudes n'est pas d'être seul mais de s'ennuyer en sa propre compagnie. Bien sûr, après une rupture, un deuil ou une séparation brutale, se retrouver seul, avoir perdu ses repères habituels, tout cela peut bousculer, voire blesser, et déstabiliser l'existence. Mais ce qui empoisonne le plus la solitude de tout un chacun, et empêche d'être heureux en sa propre compagnie, ce sont l'attente vaine des attentions de l'autre et le ressentiment ou l'accumulation de la rancœur.

L'attente jamais comblée du «grand amour», de «l'homme (ou de la femme) de sa vie», de «l'âme sœur qui saurait nous aimer, nous comprendre, nous protéger». L'anticipation idéalisée du futur, d'une rencontre miraculeuse, d'un couple merveilleux, le rêve sans cesse remâché d'une vie à deux, forment le cœur de l'attente et font obstacle au présent : ils le dévitalisent de ses possibles. Dans ces circonstances, le présent ne peut être vécu comme bon parce qu'il est construit sur un manque. L'espérance d'un signe de l'autre, sans cesse déçue, ouvre une béance que rien ne semblera pouvoir combler ou cicatriser.

Un autre obstacle à la solitude heureuse est le ressentiment. Nous sommes alors habité par la rancœur, et de multiples reproches et accusations nous animent contre celui ou celle qui nous a quitté, qui n'a pas voulu vivre avec nous, qui nous a trahi… Celui qui entretient ainsi le poison du ressentiment ne peut vivre les cadeaux du présent, ne peut inscrire demain comme une offrande et se violente en permanence à l'aide de ses propres pensées négatives.

Au contraire, il est possible de vivre seul et de se sentir partie prenante de la vie sociale et publique. Nous pouvons être solitaire et cependant… solidaire. Solidaire de ce qui se passe dans le monde et engagé dans différentes actions pour soulager la misère, lutter contre l'injustice, militer pour un monde plus harmonieux. Utiliser sa solitude pour mieux entrer, sans entrave, dans le vaste mouvement de la vie… voilà une belle option alternative au plaisir d'être seul.

Quand le ressentiment surgit après une rupture, il envahit tout l'espace intime. Il naît souvent de la privation de rêver imposée involontairement par celui qui a décidé de partir à celui qui aurait voulu donner suite à la relation !

Le jour où j'ai commencé à exister

Je m'en souviens parfaitement : j'avais un peu plus de 35 ans et je bal-butiais mes premières tentatives d'affirmation en osant dire non. Ce n'était pas un non d'opposition, de refus ou de rejet, mais un non de début d'affirmation, ouvrant à un échange plus différencié et à la con-frontation. Comme si je disais, sans le savoir encore : « En te disant non, c'est à moi que je dis oui ! »

Pour la première fois me semblait-il, je me définissais, je sortais du désir de l'autre. Je me différenciais, je prenais le risque de déplaire à ma com-pagne, j'osais énoncer mon désir. J'osais prendre le risque de la décevoir, de me faire rejeter ou de ne plus être aimé par elle pour peu qu'elle ait eu le sentiment que je disais non... contre elle !

Épreuve redoutable dont je n'avais jusqu'alors pas mesuré le danger, tant je craignais de perdre l'amour ou les marques d'intérêt dont j'avais tellement besoin pour survivre. Jusque-là, je survivais en veillant à ne pas heurter, irriter ou blesser l'autre par un refus qui aurait pourtant exprimé ce que je ressentais vraiment. En acceptant ce qui m'était proposé, je n'étais pas fidèle à moi-même. Depuis lors, j'ai appris que la vie est construite comme une succession de naissances autour de rencontres et de séparations liées à l'affirmation positive de soi.

Pour ma part, je m'étais construit dans le doute, le manque de confiance, une attitude de dépréciation personnelle, et j'avais recherché de façon quasi obsessionnelle pendant toute ma jeunesse l'approbation et l'acceptation des autres, animé par un besoin de reconnaissance immense, jamais assouvi. Je proposais ainsi, sans en être conscient, des relations incertaines, incomplètes, en fait peu satisfaisantes pour l'autre. Ma propre soumission ou passivité était chargée de regrets, de frustrations et de révoltes cachées que je n'avais jamais exprimées.

Comme je ne savais ni demander ni refuser, je m'investissais à corps perdu et à pensées égarées dans le donner et le recevoir. Ce faisant, je surchargeais l'autre de mes offrandes, de ma pseudo-générosité, je le saturais de ma présence. Je me transformais aussi en réceptacle passif, propre à accueillir tout ce qui me venait d'autrui sans vigilance ni sens critique – j'étais toujours présent, toujours à l'écoute, mais complètement à côté de moi-même, vivant tel un zombie, par personne interposée.

J'ai bien changé depuis ce jour mémorable où j'ai osé dire un non qui me libérait d'une mission obligée, et qui me permettait de commencer à exister. J'ai tellement changé, qu'il m'arrive… de ne plus me reconnaître !

Ainsi ai-je pu lui dire un jour : « Je ne te demande pas de m'aimer, mais seulement de t'aimer ».

Se sentir partie prenante de l'existence

Quand l'avenir n'offre plus l'espoir de rêver, alors la désespérance s'installe et l'auto-violence apparaît. L'auto-violence est la démarche qui consiste, consciemment ou inconsciemment, à maltraiter ses sens, à violenter ses ressources, à raviver ses blessures, à détruire son corps.

Peut-être faut-il le rappeler : c'est avec notre corps que nous passons l'essentiel de notre vie. C'est avec lui que nous irons jusqu'au bout de notre existence. C'est donc avec lui aussi que nous avons à établir une relation suffisamment stimulante, bienveillante et respectueuse pour qu'il se sente bien en notre compagnie !

L'auto-violence est très répandue dans notre société qui valorise pourtant le corps et tente de retarder les effets du vieillissement en proposant des molécules et des pilules de mieux-être. Mais le malaise est grand, au delà des incidents et des péripéties qui surgissent dans la vie de chacun. De plus en plus d'hommes et de femmes connaissent l'usure, le découragement voire la dépression, et démissionnent. Leur *mal-être* ou leur mal de vivre se traduit à l'occasion par la fuite dans l'alcool ou la drogue. Ils combattent tout cela avec plus ou moins de succès, par des anxiolytiques, des antidépresseurs, des cures, mais il faudrait plus : il faudrait qu'ils redonnent du sens à leur vie.

Dans le métro de Tokyo des miroirs sont disposés sur les parois extérieures des wagons afin de décourager les candidats au suicide. Ceux-ci, en voyant leur visage, le reflet de leur corps, hésiteraient à mettre leur intention à exécution. Ainsi le seul fait de se voir, de se rencontrer, donnerait à réfléchir…

Donner du sens à notre vie ne consiste pas seulement à nous interroger sur la finalité de notre passage sur terre, mais suppose avant tout que l'un de nos besoins vitaux soit rempli : nous devons sentir que nous avons une valeur, une place reconnue par les autres, une signification positive et structurante pour les personnes qui nous entourent. Au delà de la confiance, du respect, de la bienveillance que nous pouvons éprouver, nous devons sentir que nous appartenons à un ensemble, que nous sommes partie prenante d'un tout, que nous comptons pour les autres. Or ce sentiment est fragile, et dans le monde d'aujourd'hui, il est sans cesse menacé. Nous sommes, fondamentalement, des êtres de relation pris dans un réseau de liens par lesquels se transmettent des attentes et des réponses, de l'accueil et des offrandes, de l'acceptation et des refus, des stimulations et des inhibitions.

Je crois profondément qu'un des sens profonds de notre existence lors de notre passage sur la terre consiste à agrandir et à transmettre la parcelle de vie et d'amour que nous avons reçue en dépôt lors de notre conception.

Toute réconciliation avec autrui est d'abord une réconciliation avec le meilleur de soi-même.

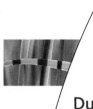

Du passé au présent

Même si notre passé a été difficile ou douloureux, il nous appartient de le respecter comme étant bien le nôtre, en reconnaissant que s'il nous est impossible de le modifier, nous pouvons changer la relation que nous avons avec lui et dynamiser autrement notre ancrage dans le présent.

Ma mère...

Je viens d'une époque où la vie était plus ample, où le temps marchait à pas lents pour parcourir avec patience l'espace d'une existence, où l'on s'arrêtait pour se saluer, se rencontrer, échanger et rire.

Je viens d'un temps où la culture populaire n'était séparée ni de la culture livresque ni de la culture savante. La culture se transmettait au quotidien, dans les gestes de chaque jour, à table ou dans la cuisine, durant les moments d'échanges, les loisirs ou pendant les fêtes familiales.

Ma mère, de qui je tiens le goût de cette vie, avait quitté l'école à neuf ans et savait à peine lire. Mais elle récitait des passages entiers de Victor Hugo et de Jean de La Fontaine en scandant chaque vers avec une force qui nous saisissait et nous laissait, mon frère et moi, ahuris et rêveurs. Elle puisait comme dans un panier, à la demande, des strophes de Leconte de Lisle, de José Maria de Heredia, d'Alfred de Vigny, ou de Gérard de Nerval, des auteurs un peu oubliés qui lui permettaient d'entretenir quelques rêves au sein d'une vie de travail et d'usure.

Elle se souvenait des leçons de choses du cours moyen comme de leçons de vie : la métamorphose de la chenille, les mutations du hanneton, la croissance du haricot vert représentaient pour elle l'équivalent d'une aventure merveilleuse, d'un voyage étonnant au pays de la connaissance.

Elle ne m'a pas seulement transmis la vie et plus tard quelques recommandations et interdits pour conduire avec dignité mon existence, elle a aussi tenté de m'ouvrir au monde des petites choses, de m'en faire découvrir les couleurs, les goûts et les coins secrets : « Regarde, me disait-elle, la couleur de ce petit pois, là, sous les feuilles, regarde comme il est accueilli par la vie ! » ou « As-tu remarqué comment les draps de lit gardent le bleu du ciel quand ils sont secs. C'est pour cela qu'il faut les étendre à l'ombre… »

Elle savait une foultitude de choses, de petits détails propres à révéler, bien au delà des apparences, la profondeur, le sens puissant, la force de vie du moindre événement ou du phénomène le plus anodin : « Quand quelqu'un veut dire quelque chose et qu'il n'ose le faire, je le perçois tout de suite. Il a le regard par en bas et un de ses poings est serré dans l'attente d'une vraie écoute… »

Elle avait arraché sans douleur les dents de lait de tous les enfants du voisinage. Avec un fil rouge, très important le fil rouge !, elle attachait la dent à la poignée de la porte d'entrée, l'enfant devait crier « Ah ! », la porte claquait, la dent pendait au bout du fil sous les regards ahuris des spectateurs.

Elle connaissait toutes sortes d'astuces pour simplifier les actes ordinaires de la vie, et surtout pour faire seule, toute seule : « Comme les hommes ne sont jamais là quand on a besoin d'eux, il faut apprendre à faire par soi-même, à se débrouiller tout seul, tu comprends. »

Elle avait surtout le geste juste, la connaissance exacte de ce qu'il fallait faire au moment où il fallait le faire. Comment mettre une demi-coquille d'eau dans l'omelette pour que celle-ci reste baveuse et douce, ou une noix de beurre dans la confiture de prunes ou de framboises qui est sur le point de déborder afin d'en apaiser le bouillonnement; comment appliquer un cataplasme à la feuille de chou pour soigner orgelet, panaris, furoncle et même lumbago…

Elle pouvait déplacer n'importe quel meuble. Avec une bûche, elle faisait levier, mettait des peaux de bananes dessous et faisait glisser le tout… Le plus difficile était de trouver non les bananes, car nous n'avions pas les moyens d'en acheter, mais les peaux, qu'elle demandait aux voisins de lui réserver ! Elle nous faisait fumer des tiges d'ail séchées comme vermifuge, protégeait les rosiers des pucerons en plantant de l'ail à leurs pieds ! Et quand elle repiquait des plants de poireaux, elle savait qu'il fallait sau-poudrer de poivre le sillon pour éviter le ver des poireaux. Elle nettoyait le grand chaudron de cuivre pour les grandes cuissons de confits en… urinant dedans. Opération discrète, chaque fois plus mystérieuse. Le vert-de-gris disparaissait et le chaudron pouvait servir sans risquer de nous empoisonner… « Certains ne savent pas que l'urine saine est bonne à beaucoup, beaucoup de choses ! »

Elle garda longtemps un teint de pêche et un visage sans rides, lisse et doux comme celui d'une jeune fille, en se plaquant des morceaux de peau de pêche sur le front, le menton, les joues et le cou, le dimanche après-midi… Elle m'a souvent raconté cette petite histoire qu'elle certifiait « toute vraie » avec le même ton qu'elle avait quand elle disait « Tiens, mange, mange cette pomme, elle est toute fraîche » : « Il y avait dans mon village six copains, qui étaient les hommes les plus forts de la région. Ils bûcheronnaient l'hiver, moissonnaient l'été, défrichaient au printemps et partaient à la ville pour bambocher à l'automne. Un jour, un chariot chargé de grain s'embourba dans un gué. Ils étaient tous là à essayer de le soulever, chacun avec ses mains, ses épaules, ses cuisses tentant de dégager la masse énorme qui menaçait de chavirer. Puis, l'un d'eux monta sur le dessus des sacs et commença à chanter un de ces chants de peine qu'on nous apprenait pour chasser la tristesse et maintenir l'espoir vivant. Et les cinq autres, en quelques instants, réussirent à déplacer le chariot et à le sortir du gué. Celui qui avait chanté embrassa le nez du cheval qui tremblait encore sur ses pattes. » Je viens d'une époque où la parole donnée valait autant qu'un acte notarié. Deux fois par an, devant la maison de mes parents, je voyais les maquignons, immenses dans leurs grandes blouses noires, tenir boutique de chevaux en plein air, au vent d'autan, dans les allées Charles de Fitte de mon enfance, vécue à Toulouse, frapper de leur main droite la main de l'acheteur : l'accord était scellé, définitif et immuable. Même si l'argent n'était pas échangé au grand jour mais dans la pénombre d'une arrière-salle du bistrot de la place du Fer à Cheval, le prix était fixé et la confiance inébranlable.

Je viens du pays de mon enfance, du seul pays dont je connaisse l'odeur, le rythme des saisons et les couleurs qui sont encore mêlés à tant de souvenirs si vivants. Je fus longtemps jaloux de mon meilleur copain qui appelait ma mère « Mamiedou ». Cette jalousie cessa quelque 50 ans plus tard quand il me raconta l'histoire suivante : « Je ne te l'ai jamais dit le jour où j'ai donné mon cœur à Mamiedou, ma seule maman-cadeau. Tu n'étais pas là, je venais chez toi comme chaque fois que j'étais en tristesse. Un petit enfant a trébuché, est tombé sur le bord du trottoir. Il pleurait, braillait "Bobo, bobo, aïe ! Maman, maman !" Et sa mère de dire "Espèce d'idiot ! Debout, ce n'est rien, arrête ta comédie…" Et le gamin hurlait de plus belle, se roulait à terre, refusant de se lever. Ce qui irritait encore plus sa mère. Alors j'ai vu Mamiedou, qui épluchait des haricots devant sa porte, vider son grand tablier, se lever, essuyer ses mains sur ses hanches et j'ai entendu ce qu'elle murmurait : "Oh ! Le pauvre petit, pauvre petit. Viens, viens vite mon poussin que je te ramasse !" Le miracle fut instantané. Le pauvre petit, plein de morve et de tremblements, de larmes et de poussière, s'alla jeter dans un élan passionné dans le giron de Mamiedou qui le câlina, souffla sur ses bobos, pompa de l'eau fraîche à la fontaine toute proche, le lava, le moucha, et finit de l'essuyer en l'embrassant doucement, tout en continuant de psalmodier "Mon pauvre petit, qui avait très mal, mon pauvre petit !" Moi, j'avais six ans. Beaucoup de mes bobos guérirent ainsi d'un seul coup ; et bien d'autres par la suite tant je fréquentai ta mère ! » Il était le seul à avoir le droit d'appeler ma mère Mamiedou…

Je viens d'un temps où l'on savait soigner les grands et les petits bobos avec des baisers et beaucoup de tendresse.

Le pays de notre enfance...

Je viens du pays de mon enfance. Je viens surtout des pays de mes enfances multiples, sombres et colorées, joyeuses et tristes, innocentes et compliquées, tumultueuses et apaisées, mais qui ont des traits communs : l'émerveillement, l'enthousiasme, la nostalgie, l'impatience et l'infatigabilité.

Enfant, j'avais le sentiment de vivre des journées interminables au fil desquelles l'imprévisible suscitait mes étonnements, déjouait mes prévisions, tandis que je tentais de contourner les contraintes et de repousser les limites que m'imposaient des adultes aveugles. La plupart du temps ces derniers surgissaient maladroitement dans les instants cruciaux de ma vie, envahissaient et piétinaient avec la plus parfaite inconscience les moments forts de mon existence déjà très complexe.

Je viens de ces pays où le torrent de mes révoltes agitait tous les matins et les soirs. Ces pays dont j'ai gardé des traces fécondes, celles d'odeurs incomparables, d'élans et d'emportements, de sensations fortes, d'images vivaces et d'autres plus alanguies. Je reste habité par nombre de moments uniques qui sont autant de cris silencieux répondant aux violences données et reçues, aux colères rentrées, aux injustices subies, aux trahisons...

De ces enfances, j'ai aussi retenu une lumière, celle de la pénombre claire et apaisée d'un début d'après-midi dans une chambre aux volets clos où j'ai découvert la lecture – la lumière des jours en demi-teinte.

J'ai gardé longtemps le souvenir amer d'adultes silencieux ou absents, maladroits et émouvants. Dans le temps arrêté des rêves de mes huit ans, je songeais, éveillé, à des départs définitifs, à des fugues absolues qui me permettraient de quitter ce monde d'incompréhension et d'incohérence. J'imaginais fuir à jamais les rencontres vaines et stériles, les moments perdus et gaspillés dont les vagues se succédaient au fil de mes errances.

J'ai le sentiment d'avoir vécu plusieurs vies dans mon enfance, et surtout d'en avoir rêvé plus encore, dans l'attente de la liberté et des moyens pour devenir enfin moi-même. C'est ainsi que je concevais ma vie à venir : les grands me semblaient pouvoir tout faire, avoir le droit de vivre comme ils l'entendaient. Ils disposaient de moyens pour se déplacer, décider à leur guise, imposer leur désir et conduire leur vie selon leur volonté. Donc il fallait se débarrasser de son enfance et devenir grand le plus vite possible !

Mes différentes enfances m'ont accompagné longtemps, elles m'ont paru longtemps freiner mes tentatives pour grandir, elles ont parasité mais aussi stimulé ma vie d'adulte avec une ténacité dont je garde encore la marque.

Elles ont ressurgi quand je suis devenu père, car chacun de mes enfants, avec habileté, courage et persévérance, a réveillé le petit garçon ombrageux ou rêveur, enthousiaste ou morose, persécuté ou violent que j'avais été aux différents âges de mon enfance et de ma jeunesse.

« Celui qui n'espère pas n'atteindra pas l'inespéré », disait Héraclite – une pensée qui me semble d'une urgente nécessité.

Le passé ne passe pas toujours bien

Je parle souvent des pays multiples de notre enfance. Je dis « multiples », car je sais combien les univers d'une même enfance varient d'une année sur l'autre, sont dépendants des péripéties familiales (déménagement, changement d'emploi, perte, séparation, ruptures diverses). Ils sont donc différents, contradictoires, voire antagonistes. Entre l'enfant qui, sur le chemin de l'école, est l'égal de Zorro ou de Robin des Bois, et celui qui regarde, attentif, tous sens ouverts, le monde qui l'entoure et veille scrupuleusement à ne pas marcher sur les lignes verticales du trottoir en murmurant « Si j'arrive jusqu'au coin de la rue sans toucher une seule des lignes marquées sur le sol, peut-être que papa n'aura pas bu ce soir… », il y a des années-lumière de distance.

L'enfance est constituée d'époques et de tranches de vie si différentes qu'elles ne semblent pas faire partie de la même existence.

Nos enfances sont traversées de périodes de vacances lumineuses, vivifiées par une rencontre, un livre ou un jeu ou soutenues par une amitié unique, et marquées de périodes plus opaques, déstabilisées par l'arrivée d'un frère ou d'une sœur, violentées par un déménagement, brutalisées par des injustices ou des humiliations, assassinées par une violence sexuelle imposée, désespérées par une trahison amicale ou amoureuse. Elles sont traversées par mille événements aussi surprenants et imprévisibles les uns que les autres.

Toutes nos enfances nous habitent définitivement. Une fois que nous sommes adultes, elles logent dans les coins et recoins de notre corps, de notre imaginaire, de notre vitalité et de nos angoisses. Les blessures de l'enfance laissent des cicatrices profondes qui, je le crois, ne guérissent jamais. Tout au plus peuvent-elles se refermer, vivre *a minima*, se faire oublier… Mais un événement banal, une parole légère, une association d'idées incongrue, une rencontre inopinée peuvent venir les réveiller, les réactualiser, les dynamiser à nouveau. Alors, elles remontent à la surface et explosent, telle une bombe à retardement.

Il est possible d'entreprendre une remise à jour des modes relationnels de nos différentes enfances (j'appelle cela un « nettoyage de la tuyauterie relationnelle intime ») par un travail personnel, une thérapie, voire une psychanalyse. C'est ce que font ceux qui sentent combien leur existence, leur vie d'adulte est piégée par des répétitions, des insatisfactions, des souffrances, voire des échecs. Il est en effet possible d'être moins réactionnel, moins brutal ou exigeant envers l'enfant qui navigue encore en soi. Il est aussi possible de reconnaître cet enfant, de le protéger et de se réconcilier avec lui. Se réconcilier avec chacune de ses enfances, c'est avancer sur le chemin du bien-être et de la sagesse.

**À l'aube des lendemains heureux,
je grandis au présent.**

À l'écoute des blessures de l'enfance

Nous sommes quelquefois très surpris, bouleversé et mal à l'aise quand, dans une relation proche ou significative, nous avons des réactions disproportionnées en réponse ou en écho à ce qui vient de se passer entre nous et l'autre. L'élément déclencheur peut être une parole banale, un événement ordinaire, un comportement qui ne devrait pas porter à conséquence. Nous sentons alors remonter brutalement en nous des émois oubliés, des pensées violentes, voire un profond désarroi, qui nous étonnent, et surtout déstabilisent l'autre. Celui-ci peut être effaré, parfois même blessé, car il ne comprend pas ce qui a pu motiver notre réaction à son égard.

Ce qui s'est passé peut se comprendre ainsi : l'une ou l'autre des cinq grandes blessures de l'enfance a été rouverte. Il est bon de connaître ces blessures afin de pouvoir les repérer, et de mieux comprendre à la fois leur origine (elles s'inscrivent tôt dans notre histoire, à partir de la première violence subie) et leur mode de fonctionnement, c'est-à-dire la façon dont elles continuent à naviguer en nous et à y tracer une route qu'un interlocuteur croisera sans le savoir, à un moment donné, mettant le feu aux poudres…

Je distingue cinq sortes de blessures de l'enfance. Présentes de façon latente en nous, elles peuvent resurgir à n'importe quel moment lors d'un échange ou d'une relation avec autrui ; elles sont donc récurrentes. Quand les blessures sont minimales et qu'elles ne sont pas souvent stimulées, nous avons le sentiment d'avoir une bonne relation avec l'autre. Quand elles sont réactivées de façon régulière, la relation devient difficile, douloureuse, chargée de tensions et de malentendus. Elle prend le goût de l'amertume, des sentiments de rejet surgissent ainsi que de l'agressivité ou un repli par rapport à celui ou celle qui a provoqué ce réveil.

Les blessures de l'enfance ont une origine commune : un événement que nous avons ressenti comme nous faisant violence (quelle qu'ait été l'intention de l'autre) alors que nous traversions une période de vulnérabilité, de fragilité ou d'interrogations :

• *L'humiliation* est en relation avec le besoin de considération, de reconnaissance, de dignité. Elle est éveillée par la dévalorisation ou la disqualification de certains de nos comportements, croyances ou valeurs, ce qui produit une image négative de nous-même.

• *L'injustice* est liée au besoin d'équité, de justesse, de congruence. Ce besoin est extrêmement sensible durant certaines périodes de notre développement.

• *L'impuissance* nous renvoie au besoin que nous avons d'être partie prenante de ce qui nous arrive, de sentir que nous avons une influence sur ce qui nous entoure, que nous pouvons être créateur et auteur.

• *La trahison* est en relation avec le besoin d'accorder notre confiance et de nous sentir en sécurité dans une relation suffisamment fiable et prévisible. Elle surgit quand est ébranlée la solidité de l'ancrage des engagements que les autres ont pris envers nous.

• *L'abandon* est en lien avec le besoin de nous sentir soutenu et aimé, dans une continuité affective qui nous confirme dans ce que nous sommes et nous rassure. Le sentiment d'abandon peut surgir dès les premiers jours ou les premiers mois de la vie, lorsque nous fait défaut l'être le plus important : maman ou celle qui la remplace.

Maryse Legrand, psychologue clinicienne française, explique bien ce qui caractérise l'angoisse d'abandon en l'opposant à l'angoisse de castration. L'angoisse d'abandon, explique-t-elle, est l'angoisse typique de toutes les souffrances narcissiques qui relèvent de ce que l'on appelle aujourd'hui, en psychopathologie, les états-limites. Ces angoisses se traduisent par des fantasmes de morcellement archaïques, qui reposent sur une perturbation grave du rapport au réel et à l'autre. L'angoisse de castration observable chez l'enfant plus âgé est un trouble de nature névrotique, plus proche de la normalité.

À mon sens, s'il est possible de mener seul un travail de réflexion afin de clarifier les réactions qui relèvent des quatre premières blessures, il est préférable de se faire accompagner, de se donner les moyens d'un soutien psychologique plus structuré pour travailler ce qui relève de l'abandon. Ce soutien peut prendre la forme d'une psychothérapie ou d'une psychanalyse.

Ce qui nous pousse à vivre et nous maintient en vie, ce ne sont pas les ancrages du passé ou les richesses du présent, ce sont les promesses de l'avenir.

Paroles d'une femme après la mort de sa mère...

J'ai reçu cette lettre au courrier du matin :

« Tous ces derniers jours, la vie me sculpte et me bouscule. Je suis toute fissurée. Je n'ai pas d'autre choix que de toucher au plus près ma vulnérabilité, ma fragilité, le fond de mon angoisse. Durant les dernières fêtes de Noël, je me suis longuement isolée pour me permettre de sentir, d'éprouver et de vivre au profond de moi la douleur que m'a causée la mort subite de ma mère. Me voilà devenue volcan, tempête, chaos. Sourdent de moi la colère, les larmes, les cris. Je suis devenue rugissements et poings levés au ciel. Voici ce que me montre la face cachée de ma planète noire.

« Sur l'autre face, par contre, l'absence de ma mère me permet de rencontrer et de découvrir un homme, mon père, occulté jusque-là, justement par ma mère ! Ce presque inconnu, si souvent silencieux, qui incarnait une menace sourde et imprévisible mais toujours trop proche, a pris de la consistance. Je me permets de reconnaître enfin tous les sentiments positifs que j'éprouve pour lui. Et j'entends soudain, comme pour la première fois, tout étonnée, l'amour et la tendresse qu'il éprouve pour moi. Nous retrouvons, depuis quelque temps, ensemble, à coups de balbutiements, une confiance qui était enfouie et depuis trop longtemps oubliée. Récemment, ma sœur m'a appris que lorsque j'étais enfant, mon père et moi étions comme les deux doigts de la main – je dirais à présent les deux doigts de la même main…

« À quel âge, à l'issue de quelle catastrophe, ai-je perdu ce « papa », c'est-à-dire, comme vous l'écrivez, la partie douce, tendre, comblante de mon géniteur, pour me heurter à un père absent/présent, la partie dure, opaque, fermée de l'homme qui m'était présenté comme mon père ? Je n'ai aucun souvenir de cela, mais je commence à en retrouver quelques traces. Chez mon père, dans une boîte à chaussures pleine de photos bien rangées, j'ai découvert une photo de moi, vers l'âge de cinq ans. Je ne suis pas à côté de lui, mais sur ses épaules. Je me tiens debout, soutenue par ses mains puissantes et chaleureuses. J'y suis triomphante, victorieuse de je ne sais quel combat. Avoir vu cette image change toute la vision de mon enfance, de ma relation à lui, et surtout celle, déformée, que j'ai eue du monde des hommes par la suite. Je découvre que j'ai eu un vrai papa. Il m'appartient de faire tout un travail de reconnaissance à son égard.

« Aujourd'hui tout cela reste frêle encore, ténu. Je ne me sens ni glorieuse ni triomphante. Je me vois encore partiellement brisée, inachevée. Je me demande si je pourrais à nouveau devenir un être créateur, productif. Je ne suis pas là où j'aurais dû me trouver à ce stade de ma vie, à près de quarante ans, j'ai le sentiment d'être en retard sur l'essentiel de mon existence. Que de déceptions, de désillusions accumulées, de ressentiments inutiles, remâchés. Mais je suis en train de lâcher prise par rapport à tous mes faux espoirs, pour rejoindre l'espérance, l'effleurer, m'apaiser en elle.

« Ainsi, avec la mort de celle qui m'a mise au monde, je découvre qu'une maman que je croyais proche peut devenir soudain une mère inaccessible. Et qu'un père lointain peut se révéler un papa affectueux et présent. Que n'ai-je appris plus tôt à mieux me définir et me situer par rapport à ma mère, voire à prendre le risque d'encourir sa désapprobation, moi qui avais tant besoin d'être reconnue par mon père ! J'avance ainsi… Je me mets au monde chaque jour un peu plus ! »

Je trouve que cette femme prend le risque de naître à nouveau et, avec beaucoup de lucidité, découvre et donne un peu plus de sens à sa vie.

L'éveil consiste à sortir de l'illusion.

73

Quand les mots parlent de nous... malgré nous

Je suis sensible au temps. Pas seulement au temps qu'il fait, beau ou moins beau, ensoleillé ou pluvieux, mais au temps qui est là, celui que je vis à l'instant, au présent, ici et maintenant. Je suis donc aussi sensible aux temps de la conjugaison des verbes.

Dans le cadre d'un travail de clarification sur soi, la conscience du temps par rapport à ce qui a été, ce qui va advenir, ce qui est et déjà n'est plus, est extrêmement importante.

Parler au temps présent, du présent, sans le coincer entre le passé et le futur, de ses blocages, de ses errances ou de ses souffrances pour bien marquer ce qu'il en est aujourd'hui, c'est déjà considérer le présent comme un moment neuf. Dire : « Je ne supporte plus les plaintes de ma mère » induit une dynamique, un élan, un début de changement. Au contraire, parler du passé au présent maintient et entretient le passé : « Je fais ce que j'ai toujours fait, je n'ai jamais réussi à m'affirmer devant ma mère. »

Parler du passé au passé (simple ou composé) confirme bien le choix de se démarquer de lui, de le laisser à sa place, de ne pas le ramener dans la vie actuelle. Je ne réactive pas mes douleurs, je les laisse à leur place, dans le temps de mon histoire : « C'est vrai que j'ai été un enfant fragile. J'ai été souvent malade. » Cela ne veut pas dire que je le suis toujours.

Il arrive que changer le temps d'un verbe propulse vers le futur. Je peux décider ainsi de sortir du passé en passant du constat à l'affirmation. Ne plus dire comme je l'entends raconter par cette dame chez le boulanger : « Au travail j'ai toujours du mal à me respecter tant l'ambiance est malsaine », mais : « C'est à moi de trouver les moyens de me respecter sans me laisser influencer à l'avenir par cette ambiance malsaine », voilà qui change tout.

La grammaire des mots est bien plus qu'un ensemble de règles. Elle permet de donner aux mots une direction, un pouvoir différent. Certains termes ou expressions peuvent remplacer les mots toxiques dont nous nous imprégnons trop souvent malgré nous. Si je m'enferme dans une expression négative : «La vie n'est jamais marrante» ou «La vie a toujours été injuste envers moi», j'évite de me responsabiliser. Ce n'est pas la vie qui est injuste, c'est la façon dont je la vis !

C'est souvent avec des mots-poignards que nous blessons ou assassinons autrui, et avec des pensées-poisons que nous polluons notre présent. En étant plus vigilants par rapport aux mots que nous utilisons et plus attentifs à ceux que nous pensons, nous pouvons en faire des amis plus fiables.

Il y a des mots pour l'état de grâce, et des mots qui rendent beau.
Il y a des êtres qui savent écouter les soupirs du silence
et nous permettre de les entendre.
Il y a ceux qui savent regarder un paysage et l'embellir de leur regard.
Il y a encore et toujours des instants d'amour propres
à embellir la vie.

« Fêtes » de famille...

Nous nous réjouissons longtemps à l'avance, nous anticipons beaucoup sur le plaisir de nous voir, de nous retrouver ensemble, de pouvoir enfin nous réunir autour de nos parents, avec ceux qui font partie de notre famille ou ceux que nous envisageons d'accueillir, nous nous faisons un plaisir à l'idée de recevoir, de fêter ceux que nous aimons.

Les fêtes de Noël en particulier, mais aussi l'anniversaire de papa ou de maman, le jubilé de leur mariage, un baptême, un mariage, sont des occasions de rassembler tous les membres d'une même famille, les pièces rapportées et les autres, les proches comme ceux qui sont éparpillés aux quatre coins de France et de Navarre.

Et puis, patatrac ! La fête chavire, les réjouissances anticipées provoquent des tensions et des conflits. Les rencontres familiales se passent rarement comme on l'avait rêvé. Un tout petit détail, un plan de table légèrement modifié, une parole exprimée sur un ton qui blesse, une remarque faite à l'un ou l'autre, un commentaire à propos de l'un de nos enfants, et tout dérape dans la colère muette (la pire) ou celle qui est exprimée et jetée à la tête de celui qui a osé... La bouderie, l'amertume, les accusations lancées à l'emporte-pièce, les ressentiments longtemps mijotés, tout cela et bien d'autres choses encore empoisonneront la fête. Nous avions prévu de partager de la tendresse, du plaisir, de la joie et vont surgir et circuler tant de violences que plusieurs mois plus tard nous n'en sommes pas encore remis...

Comment se fait-il que ce qui avait été prévu pour être un moment de partage, d'échange, de tendresse et de retrouvailles joyeuses ait pu donner lieu à des accusations, à des cris, voire à des pleurs et à des silences d'autant plus douloureux qu'ils ne font que s'ajouter à des contentieux déjà très anciens ?

Pourquoi cela se passe-t-il ainsi, si fréquemment ? me demande-t-on. Il y a plusieurs raisons à ces moments de crises ; notamment des enjeux cachés, rarement exprimés, et aussi la croyance erronée qu'il est possible de révéler des désirs insolites qui n'ont encore jamais été dévoilés, d'exprimer des non-dits et de témoigner de positions personnelles et intimes, sans risque, à ceux qui nous aiment et qui devraient nous comprendre « puisqu'ils nous aiment ! ». Nous pensons ainsi parce que nous sommes en compagnie de proches qui sont censés nous comprendre, nous soutenir, nous chérir !

Certains ex-enfants, devenus « adultes », considèrent ainsi que Noël est non seulement un moment de paix, de cadeaux, de joie partagée, mais devrait être une circonstance propice pour oser plus. Ils se disent que cette fête est un moment favorable pour faire des demandes qu'ils n'avaient jamais osé formuler jusque-là, adopter une nouvelle attitude vis-à-vis de l'un ou l'autre de leurs parents ou de leurs frères et sœurs. Ils imaginent que le temps est venu de demander la reconnaissance qu'ils ont longtemps attendue de la part de papa dont ils savent qu'il souhaitait un garçon alors qu'une fille est arrivée… Ils attendent que maman reconnaisse enfin que la femme qu'ils ont choisie pour épouse n'est pas aussi déplaisante ou tordue qu'elle le pensait ; ou souhaitent que grand-père qui a toujours un faible pour son frère aîné manifeste enfin un peu de considération à son frère cadet (qui justement est notre père) et ils veulent réparer cette injustice en prenant son parti !

Les fêtes de famille sont investies d'attentes incroyablement anciennes. Elles sont chargées d'émotions, de sens cachés qui vont bien au delà des cadeaux, des attentions exprimées, des rires, du bien-être apparent manifesté au cours des repas, des discussions, des manifestations affectives de circonstance…

Il arrive aussi que des expressions un peu trop triviales telles que «Mais quel con, celui-là!», des possessifs comme «mon enfant», «mon petit», parfois très appuyés, indisposent l'intéressé qui se sent infantilisé, ou dérangent son (ou sa) partenaire qui se sent dénigré à travers le jugement porté sur celui qu'il aime: «Non, mais tu as vu comme ton père t'a parlé durant le repas, il t'a repris devant nos enfants comme si tu étais un idiot qui ne sait pas ouvrir une bouteille de Bourgogne…», «Je préfère te le dire tout de suite, si ta mère continue à me faire des remarques sur ma façon de m'habiller, je vais lui dire sans me gêner ce que je pense de sa graisse et de la façon dont elle se tient à table, comme si son assiette était une auge. Tu ne vois donc rien! Comment veux-tu que les enfants apprennent à manger correctement quand ils assistent à un tel spectacle? Elle enfourne tout ce qu'il y a dans son assiette comme si elle n'avait pas mangé depuis des jours! Je ne te l'ai jamais dit, mais je suis écœurée…»

Une autre des caractéristiques des fêtes dites de famille, est qu'elles font souvent remonter à la surface l'une ou l'autre des blessures de l'enfance concernant l'injustice, l'humiliation, l'impuissance, la trahison, le déni… Une parole, un mot, un geste en apparence bénin réveille le petit enfant qui est encore en nous et provoque une réaction émotionnelle souvent disproportionnée par rapport à l'élément déclencheur.

Vous l'avez compris, ces fêtes, au delà du plaisir, de la tendresse, du partage et des échanges dans les rires et l'abandon liés aux souvenirs communs, restent pleines de risques. À chacun d'écouter en lui ce qu'il lui paraît possible d'accepter ou de supporter, et ce qu'il préfère refuser.

**Toutes les familles ne sont pas toxiques,
mais beaucoup peuvent l'être…
sans le vouloir, sans le savoir.**

D'hier à aujourd'hui, nos parents...

La lectrice qui m'interpella sur ce sujet me disait : « J'ai quitté le domicile de mes parents depuis cinq ans, je vis avec mon compagnon, mais chaque rencontre avec mes parents est gâchée… Ça se passe toujours mal, je ne m'en sors pas et chaque fois je suis furieuse contre eux et surtout contre moi-même ! » Elle ajoute : « Je me sens sabotée par ma mère, quelquefois même, par mon père qui la soutient. On ne peut pas rester plus de 10 minutes ensemble sans que se déclenche un conflit, sans qu'elle fasse une remarque qui me blesse, me rappelle un fait, une situation qui me disqualifie ou me rabaisse. Elle se mêle de tout et mon compagnon en arrive à la détester, parce qu'il subit les conséquences de l'état émotionnel dans lequel je suis après chacune de nos visites… »

Ce genre de situation est très fréquent. Nous aimons nos parents, mais nous avons souvent avec eux une relation difficile, chargée de tensions et d'incompréhension mutuelle. Le *sevrage relationnel*, c'est-à-dire, pour les parents, le renoncement à continuer d'exercer une emprise, une influence sur leurs enfants, est quasiment impossible pour certains. Ils continuent de considérer leurs enfants adultes comme des êtres immatures et ne se privent pas pour multiplier les conseils, les reproches ou les jugements de valeur sous n'importe quel prétexte : vêture, choix de vie, comportements, profession, éducation des petits-enfants… Au travers de cela nous pouvons entendre qu'ils cherchent désespérément, pathétiquement même, à maintenir un lien de dépendance. Certains redoutent par-dessus tout de découvrir qu'ils sont passés à côté de leur propre vie… C'est pour cela qu'ils s'accrochent tant à celles de leurs enfants devenus des adultes !

En se mêlant de la vie intime de leur fille, de leur fils, en faisant intrusion dans le couple de leurs enfants, ces parents peuvent aussi tenter d'échapper à leurs propres problèmes de couple : « Je n'ai aucune influence sur mon mari, mais je peux tenter d'en avoir sur mon fils… »

Il arrive enfin que la relation avec les enfants soit maintenue de façon superficielle, à coups de conflits par lesquels les parents se donnent l'impression de servir encore à quelque chose… D'autres parents, pour peu que leurs enfants suivent leurs conseils, peuvent entretenir le leurre qu'ils sont toujours de bons parents…

Pour les enfants devenus adultes, trouver la bonne distance avec leurs parents les confirmera eux-mêmes dans leur rôle de parents. Se faire reconnaître comme adulte par ses parents est parfois une tâche sans fin.

Est adulte celui qui sait faire quelque chose de ce qu'il reçoit.

Les défis de la vie

Il semble que chacun d'entre nous doive affronter un certain nombre de défis au cours de sa vie, non seulement pour survivre, mais simplement pour vivre, exister à part entière. Il s'agit le plus souvent de challenges nés des circonstances (un échec à un examen qui nous oriente vers une autre voie, encore plus difficile d'accès, mais où nous pensons pouvoir réussir), de difficultés relationnelles (refus, dérobade ou trahison d'un de nos proches), d'obstacles à vaincre (des engagements qui ne se révèlent pas fiables, des accidents qui nous ralentissent, voire nous handicapent momentanément), de résistances intérieures à surmonter (oser dire, faire, terminer…).

Tout se passe comme si nous avions à nous confronter à des épreuves qui nous délogent de notre confort et nous rappellent la relativité de toute certitude. Comme s'il fallait que face à nous surgissent des entraves, des écueils, des barrières qu'il nous appartient de dépasser pour avoir le sentiment de pouvoir à nouveau nous respecter, nous sentir à la hauteur ou simplement pouvoir nous tenir debout sans honte ni regret.

Un des défis les plus éprouvants que j'ai dû affronter se présenta lorsque j'avais 16 ans : je dus réapprendre à marcher après être resté immobilisé dans le plâtre durant quatre ans. Réapprendre à simplement me tenir debout, malgré la tête qui tournait, avec une peur terrible du vertige qui me saisissait à la seule perspective du sol vu de ma propre hauteur. Et vaincre les résistances de mon corps paralysé, coincé et hypertendu à la fois, pour enfin oser me mobiliser douloureusement, laborieusement, pas à pas, afin de redécouvrir un espace proche et mouvant qui pouvait m'accueillir, m'accepter.

Un des défis posés à l'homme d'aujourd'hui me paraît être d'une tout autre nature : oser se confronter à sa propre violence, opposer un contrepoids aux forces de destruction qui l'habitent, trouver un contre-pouvoir aux forces de prédation qui le submergent parfois, pour apprendre à s'aimer, simplement s'accepter et s'aimer.

Je sais qu'il existe bien d'autres défis, plus universels, plus sérieux peut-être, que l'humanité doit affronter collectivement et dépasser si elle veut survivre : l'approvisionnement en eau, la faim dans le monde, la maîtrise de l'évolution des climats, la préservation de la biodiversité garantissant le droit à la vie à chaque espèce vivante, la limitation des productions toxiques et des activités de prédation qui perturbent avec une violence inégalée à ce jour la couche d'humus, les océans, les forêts. Toutes violences dont l'accélération depuis plus d'un siècle menace l'existence de l'humanité à venir...

Mais il me semble que toute cette violence visible n'est que la projection agrandie, amplifiée des violences individuelles et invisibles que nous exerçons sur nous-même. Avoir le courage de nous confronter aux sources de notre violence intime, c'est-à-dire à la façon dont nous avons été élevé, éduqué, conditionné, pouvoir remettre en cause des habitudes de vie et des certitudes, des croyances concernant notre propre développement et changement, me paraît constituer une activité à temps plein.

Je crois qu'on ne dira jamais assez que les modèles relationnels proposés par la famille, l'école, le monde du travail, si je m'en tiens à ces trois références de la vie, sont pour la plupart toxiques, au sens où non seulement ils ne favorisent pas l'éveil, la croissance, le développement personnel de chaque être humain, mais où ils se révèlent porteurs de toutes les conditions propres à entretenir et à nourrir la violence et l'auto-violence. Il appartient donc à chacun de se mobiliser pour tenter d'adhérer à d'autres modèles relationnels ou pour en inventer de nouveaux afin de développer des communications non violentes.

Depuis quelques années, il me semble que chaque livre que je lis répond à une question vitale... que je ne me posais pas jusque-là.

Les bonnes résolutions de début d'année

Avec l'arrivée du printemps, il m'arrive de repenser aux bonnes résolutions que je prends, avec une détermination farouche, au début de chaque année. Ces décisions intimes concernent de nombreux domaines. À mi-chemin entre injonctions et rêveries, elles touchent en même temps différents strates et enjeux de ma vie.

L'alimentation par exemple : « C'est décidé, je supprime le sucre dans le thé (j'ai déjà supprimé le lait il y a quatre ans, avec succès !). Et il faut que j'apprenne à manger lentement, que je savoure chaque mets, que je goûte chaque parfum », « C'est insensé, j'ai toujours terminé un quart d'heure avant les autres et de toute façon ce n'est pas bon pour la digestion, d'ailleurs mon ventre commence à me le dire... »

L'activité physique est un autre enjeu : « Je pourrais quand même faire un peu de marche tous les jours, voire me muscler un peu. Je n'ai pas aimé quand ma benjamine m'a dit, en riant d'accord, mais elle l'a dit !, "Oh la là ! papa, ta poitrine tombe ! Il te faudra bientôt un soutien-gorge". Il serait temps que je ressorte du garage ces haltères et ces poids que j'ai achetés voilà 10 ans, et qui n'ont jamais servi ! »

Et la vêture : « Il faudrait que je change de look. Tous les types de ma génération portent des polos ou des chemises ornés de marques en forme d'animaux, des dromadaires, des chevaux, des crocodiles, des lions, je ne sais plus ! Il serait temps que je passe au blouson léger, aux mocassins, chic bien sûr, et plus confortables que mes semelles compensées. Il faudra que je revoie tout cela sérieusement, je veux dire plus légèrement... »

Et puis : « Je devrais m'occuper un peu plus de mes enfants. » J'aurais dû placer cette décision en premier, me direz-vous, mais vous comprenez bien que toutes ces remarques forment un tout. En effet, si je ne suis pas bien avec moi-même, je ne pourrai pas être bien avec mes enfants ou ma compagne... Avec elle d'ailleurs, je devrais me montrer plus attentionné, être plus présent, envisager quelques sorties au restaurant ou au spectacle : « Aussitôt la billetterie ouverte, je réserverai, c'est sûr, pour le festival d'Avignon et même pour les chorégies d'Orange. »

Mais l'urgence, au fond, c'est moi. Enfin, je veux dire ma façon de vivre – oserai-je me l'avouer ? Ma décision première devrait être de prendre soin de moi, de me dorloter un peu plus, de m'accorder quelque attention, en un mot, de me respecter. L'alimentation, la vêture, un peu de sport, du sommeil... c'est important, mais tant de choses sont à revoir dans ma vie ! La télé par exemple ! Toutes ces nullités que je regarde presque tous les soirs et qui mangent le peu de temps que je pourrais consacrer à lire, à discuter, à échanger... Et le cycle des décisions urgentes et indispensables recommence dans ma tête !

Ainsi, chaque printemps, je m'engage à appliquer avec régularité ce que j'avais décidé de faire au début de janvier... Et avec l'arrivée de l'été, avec la même sincérité, je recommence : « C'est juré, je maigris, je mange plus lentement, je fais du sport ! » La liste est longue. Je m'endors... De toute façon, l'an prochain... c'est sûr, je tiendrai mes bonnes résolutions !

Je ne suis jamais autant dans l'erreur
avec moi-même que lorsque
j'ai de bonnes intentions
envers moi-même !

Les « plus jamais » de notre vie

Combien de fois n'avons-nous pas juré dans notre for intérieur : « Plus jamais ça », ou « Jamais je ne ferai quelque chose comme ça ! » Nous avons ainsi pris, le plus souvent de façon réactionnelle, à la suite d'une déception ou d'un échec, non pas une décision mais un engagement négatif, sur un mode absolu : ne plus « jamais » faire ceci ou cela. Sans toujours prendre conscience que le « jamais », qui devrait nous engager à ne pas nous dédire, a quelque chose d'excessif, de totalitaire et d'insupportable dans la durée.

La vie, bien sûr, se chargera de nuancer nos décisions, de nous déloger de cette position absolue et de nous montrer que l'homme que nous sommes devenu, peut être à nouveau capable de faire ce qu'il avait juré de ne plus faire, ou de ne plus faire ce qu'il avait envisagé de faire… à jamais !

Ainsi je me souviens d'un « plus jamais amoureux » auquel je m'étais irrévocablement décidé après une déception sentimentale. Car aimer, c'est bien connu, est un risque susceptible d'entraîner trop de souffrance. Ce « plus jamais » de mes 18 ans ne résista pas plus de 10 mois. Il y eut aussi un « plus jamais » à la marque Peugeot, qui fit suite à une succession d'ennuis avec un modèle, mais je viens tout dernièrement de le transgresser, après avoir tout de même tenu bon durant 15 ans !

Tout se passe, en fait, comme si nous avions besoin d'une mise à l'épreuve. Le « plus jamais » nous aide à prendre la distance nécessaire avant de tenter de réapprivoiser progressivement une situation, un événement. Quand je dis, après une intoxication alimentaire, « Plus jamais de crevettes ou de moules », ce rejet exprime à la fois une déception et un malaise que je ne souhaite pas voir se renouveler. L'idée de punition est parfois sous-jacente : en rejetant dans l'oubli la personne qui m'a fait souffrir, qui m'a déçu ou désespéré, je souhaite la sanctionner.

Mais nous gardons tout au fond de nous l'espoir de pouvoir tout de même recommencer, d'avoir encore la possibilité, par exemple, de déguster de nouveau et sans crainte des coquillages délicieux et digestes, de savourer un rosé qui ne soit pas du vitriol, d'être aimé sans être trompé, de travailler sans nous faire systématiquement exploiter ou dévaloriser dans le poste qui nous est confié. Oui, nous avons besoin de croire que la vie n'est pas figée, immobilisée par nos propres décisions surtout quand elles sont réactionnelles.

Le plus difficile est d'ouvrir les yeux sur son propre aveuglement.
MA GRAND-MÈRE

La mémoire du corps

Richard est un homme de 51 ans. Sa mère vient de mourir. Il est arrivé de Provence pour veiller le corps de cette femme qu'il a aimée et haïe, recherchée et fuie, désirée et rejetée. Gabrielle, une amie de sa mère, est là. Pendant une partie de la nuit, ils vont parler. Ou plutôt, Gabrielle va parler, et Richard va découvrir ainsi, j'ai envie de dire enfin, l'essentiel de son histoire.

Il avait pu se réconcilier avec sa mère quelques mois avant qu'elle disparaisse : « J'ai fait la paix avec elle, avec moi aussi par la même occasion. Pendant des années, je lui ai reproché de ne pas me parler, de ne rien me dire sur mon enfance, juste quelques bribes lâchées à regret. "Tu étais un enfant violent et sage, me disait-elle.
– Comment ça, violent et sage ?
– Oui, parfois tu t'emportais, tu criais, mais la plupart du temps tu étais tranquille. Un enfant sans problème… Mais ce n'est pas la peine de parler de tout cela. Je t'ai élevé normalement…" » C'est ce mot, « normalement », qui était longtemps resté en Richard, comme une interrogation tenace.

Et voilà que Gabrielle lui apprend que quelques mois après sa naissance, sa mère, en difficulté à Paris, l'a placé chez une nourrice en Bretagne, et que c'est elle, Gabrielle, qui a accompagné le bébé en train pour ce premier voyage. Mais ce bébé ne connaît pas cette inconnue qui le porte, le berce, lui donne à boire. Dans le wagon il pleure, il appelle sa maman. Gabrielle est très embarrassée, elle agite un biberon à moitié plein devant le visage convulsé de désarroi du bébé. C'est en 1942, il y a des soldats allemands dans le wagon qui commencent à s'énerver, à s'agiter, à s'approcher du bébé. Et puis l'un d'eux propose de lui donner une gorgée de bière. Tout le monde rit, le bébé boit la bière, et avec un peu de mousse au coin de la bouche il s'endort bientôt.

Richard entend ainsi, plus de 50 ans plus tard, pourquoi chaque fois qu'il a un problème, une angoisse, un choc affectif, un conflit avec sa femme ou ses enfants, pourquoi, lui qui ne boit jamais de vin ni d'alcool, se retrouve devant une bouteille de bière, puis une deuxième et parfois une troisième.

De la bière, seulement de la bière. Il est stupéfait de découvrir comment ce souvenir oublié, cette douleur engrangée lors de la séparation d'avec sa mère, que cette femme qui l'a connu bébé vient de lui rappeler, sont demeurés enfouis en lui depuis lors ; stupéfait de voir comment son corps d'homme a gardé la trace vivante, toujours vivace, de sa détresse de bébé qui s'était exprimée dans un train et un environnement hostile et comment cette détresse, bien qu'anesthésiée, était restée si présente dans sa mémoire – au point qu'elle réclame encore d'être entendue dans les moments difficiles de sa vie d'adulte.

Que la mémoire du corps est belle et douloureuse quand elle laisse éclore les souvenirs perdus des premiers temps de la vie !

« J'ai du mal à vivre l'instant... »

Un certain nombre de personnes ont effectivement du mal à s'inscrire au présent, dans l'ici et maintenant d'une situation. Elles sont présentes physiquement, là, devant nous, ou toutes proches, mais nous sentons qu'elles sont ailleurs. Non pas dans la lune comme on le dit gentiment, mais dans un autre temps, un autre espace, peut-être même dans une autre relation !

Elles paraissent tiraillées par les réminiscences de leur passé, projetées dans un futur idéalisé ou persécuteur, ou enfermées dans un autre monde. Prises en sandwich entre ces temps, ces personnes ont de grandes difficultés à vivre l'instant, à être là où elles sont. À leur contact, nous éprouvons de la difficulté à les rencontrer, à les cerner, à nous sentir réellement entendu. Tout se passe comme si une vitre, un filtre, un voile invisible nous séparait d'elles.

Celui qui s'interroge sur cette difficulté à vivre l'instant semble pris dans le dilemme de ne pouvoir être présent au présent ; il éprouve d'ailleurs le sentiment étrange de se sentir peu concerné par le moment vécu, d'être ailleurs alors que son désir serait d'être davantage dans l'ici et maintenant de la situation.

Il devra s'interroger sur son passé et tenter de clarifier les situations laissées inachevées qui semblent encore actives en lui et parasitent son présent. Il pourra aussi entreprendre un travail de conscientisation quant aux mécanismes de fuite qui le poussent à vivre dans un futur idéalisé, à imaginer un avenir qui lui paraît toujours meilleur que le présent. Il devra enfin se questionner sur ses fixations de nature persécutrice qui lui font parfois envisager l'avenir comme négatif, dangereux, voire insupportable à vivre et l'empêchent de s'abandonner et de jouir de l'instant.

Vivre au présent est un vrai cadeau à se faire : être vraiment là, entier, ouvert au moment qui surgit, au temps qui passe, à la relation dans laquelle on est engagé – quel plaisir !

En présence de quelqu'un qui, de façon récurrente, a du mal à être là, il vaut mieux renoncer provisoirement à l'échange et au partage et remettre à plus tard la possibilité d'une rencontre vraie avec cette personne. Il sera toujours temps d'aller vers elle quand elle sera enfin là, présente avec la totalité de tout son être.

**Avec lui, avec elle, il faut s'attendre
à tout, y compris à rien.**

« J'ai la vie devant moi ! »

Une amie, veuve depuis quelques années, m'écrit :

« Mes frères et sœurs m'avaient invitée dimanche dernier. Au lieu d'un jour de fête, ce fut une journée marécageuse. Comme je suis veuve depuis quelques années, ils se croient autorisés à me donner des conseils : "Tu pourrais refaire ta vie, tu es assez jeune", "Dépêche-toi, parce que dans cinq ans ce sera trop tard !", "Tu devrais chercher des occasions, tu es encore très attirante".

« Quel froid soudain ! Quel dessert au goût de fiel m'ont-ils servi là, croyant m'aider, me faire plaisir ? Ainsi la vie se *referait* ? On la *détricoterait*, comme on récupérait la laine pendant la guerre, éliminant le moche pour faire du nouveau. De nouveaux chandails ou des chaussettes plus modernes, plus à la mode ! Mais il n'y aura jamais assez de laine pour la vie que je me construis. Et puis, *chercher des occasions*, quelle expression ! Je ne veux pas une vie d'occasions, au rabais, en solde.

« Cahin-caha ma vie continue et celle que je vis en ce moment est toute neuve, paisible et stimulante à la fois. Je la trouve *extra* et surtout immense. Ce dont je dispose en moi me fait vivre pleinement. Je me sens bien en ma propre compagnie. Et combien bellement, somptueusement, intensément, je peux me permettre de vivre avec le meilleur de moi !

« "Et dépêche-toi, à ton âge on vieillit vite !" ont-ils ajouté, pour me réveiller certainement, pour déloger ma confiance en moi ! Mais la vie, le temps de la vie, qu'est-il ? Celui de l'état civil : entrée et sortie, naissance et décès ? Pour moi, la vie est ce que je vis à chaque instant, le temps ne m'impose pas sa loi. Il sait s'accélérer quand je me rapproche de celui que j'aime, ralentir quand je suis auprès de lui, traîner parfois quand je suis loin. Les souvenirs, les espoirs aussi me font complice de ce temps dont j'ai l'entière disposition.

« Revenir sur le temps qui fuit ou se dérobe n'est pas possible, ni souhaitable. Et anticiper le temps futur est hasardeux, car il est difficile de faire des prophéties, surtout si elles concernent notre propre avenir ! Le mieux, le bon, c'est encore de vivre et de jouir de chaque parcelle de ma vie. C'est bercer mon désir, lui laisser la liberté de prendre des chemins inattendus, ahurissants parfois, alanguis ou fougueux, surprenants et stimulants.

« Et même si je n'ai pas beaucoup de temps, comme ma parenté le croit, patience, car *j'ai la vie devant moi* !, non seulement tout ce qu'il en reste, mais ce que je vais en faire ! La *vraiment* vraie vie, oui. Il y a des matins, des soirs où dans mon cœur, mon corps, ma tête, tout est soleil, surtout quand je me respecte. »

Belle lettre d'encouragement pour tous ceux qui se croient seuls et pour ceux aussi qui prennent le risque de construire leur vie à tout âge. Pour tous ceux aussi qui ne veulent plus se laisser dicter par leur entourage, aussi aimant soit-il, la façon dont ils devraient vivre ou se comporter !

L'apprentissage de l'éternité se fait en vivant l'instant grâce à la graine de folie que chacun porte en soi.

« Avez-vous réussi votre vie ? »

À l'automne de ma vie, c'est une des questions qui m'est le plus fréquemment posée, avec quelques autres : « Êtes-vous vraiment (j'aime beaucoup le *vraiment* !) heureux avec tout ce que vous avez découvert ? » ou « Aimeriez-vous changer quelque chose dans votre vie ? ». Je vais répondre tout de suite à cette dernière question : « Oui, l'heure de ma mort. » Quant à la première : Ai-je réussi ma vie ? Oui, dans beaucoup de domaines, pas du tout dans d'autres. Je ne crois pas que l'on puisse réussir sa vie sur tous les plans. La vie n'est ni monolithique ni linéaire, elle comporte des strates, des volumes, des zones très différents.

L'ai-je réussie sur le plan amoureux ? J'en doute. J'ai vécu des amours orageuses, tumultueuses, parfois lumineuses, mais qui furent d'autres fois blessées par des malentendus et des maladresses, assombries par des trahisons et des ruptures.

Sur le plan familial ? L'accompagnement de mes cinq enfants et, au fil de ce temps, la découverte de quelques-unes des blessures de mon histoire, furent peut-être, malgré deux divorces (ou grâce à deux divorces !), une réussite, ou tout au moins une aventure merveilleuse. Sans mes enfants, je ne serais pas l'homme que je suis devenu. Je leur dois beaucoup, non seulement de mieux gérer mes impatiences mais aussi d'avoir appris à me projeter dans l'avenir. Sans les deux femmes qui ont accompagné une partie de ma vie d'homme, je ressemblerais certainement à un Cro-Magnon relationnel !

Sur le plan professionnel, je crois avoir échoué (et *heureusement* échoué !) dans la première orientation professionnelle qui fut la mienne, la comptabilité, et m'être plus épanoui dans la troisième prise autour de mes 40 ans : l'écriture.

Sur le plan de mon équilibre intime, j'ai longtemps été un mauvais compagnon pour moi-même. Je n'ai appris à me respecter qu'à la fin de la trentaine, n'ai su m'aimer que 10 ans plus tard et prendre réellement soin de moi qu'au mitan de ma vie.

Je ne sais pas si j'ai réussi ma vie, mais je sais que je ne l'échangerais pas contre une autre. J'éprouve une véritable affection pour elle. Cette parcelle de vie qui me fut offerte lors de ma conception, je l'ai abondamment maltraitée durant les premières années de mon existence, mais j'ai par la suite appris, avec beaucoup de tendresse, à l'aimer, à la respecter et à la choyer. Oui, la choyer, lui faire cadeau de sensations nouvelles, lui offrir de la beauté chaque fois qu'il m'a été possible de le faire et l'honorer pour sa présence et sa vigilance à me maintenir vivant.

Si j'avais le pouvoir de changer quelque chose dans le déroulement de ma vie j'accorderais plus d'espace à mon enfance et aux premières années et je songerais à un système scolaire moins dévalorisant que celui que j'ai connu, je me donnerais une mère moins fatiguée et moins stressée par l'inquiétude de la survie, plus enjouée, ainsi qu'un père plus présent et plus chaleureux. Je peindrais ma jeunesse de multiples couleurs auxquelles j'ajouterais ensoleillement et joyeuseté. J'offrirais aux débuts de ma vie d'adulte plus de sensibilité et de courage dans les rencontres avec les femmes.

Mais telle qu'elle fut, je peux remercier ma vie de sa fidélité et surtout de sa générosité.

**Après avoir connu le fracas des tempêtes,
le désert des errances et la violence des impatiences,
avoir l'impression d'être arrivé au port
ou savoir au moins qu'il existe.**

La retraite

« Depuis que j'ai pris ma retraite, me dit ma voisine, j'entends souvent sur un ton faussement joyeux : "Alors, la jeune retraitée, comment vas-tu ?" Cette phrase me choque, m'irrite et me donne envie d'agresser mon interlocuteur qui se croit bienveillant à mon égard. Ce mot de "retraitée" ne résonne pas bien en moi ! Retraitée dans quoi ? On parle d'uranium retraité ou d'une huile de moteur usée qui sera retraitée pour un autre usage !

« Il est vrai que j'ai quitté l'enseignement après 35 ans de service. Je ne pars plus, cinq jours par semaine, vers l'école. Je n'ai plus de préparations de cours, de devoirs à corriger, de réunions auxquelles participer. Je dispose de mon temps à plein temps ! Enfin, je croyais en disposer, car pour l'instant je ne le vois pas. De façon étonnante, depuis que je n'exerce plus ma profession, je ne vois pas passer le temps. Il se dérobe. À peine suis-je levée, c'est déjà le soir, ma journée s'est écoulée en un clin d'œil. Elle s'est éparpillée en mille gestes, en une multitude de petits actes sans consistance, sans résultats visibles. Comme si je maintenais à flot le bateau de ma vie, sans que pour autant il avance ou se déplace vers un but. Ma vie n'a plus de direction, ou plutôt, je n'ai pas trouvé la nouvelle direction de mon existence.

« Avant d'être à la retraite, je croyais que je pourrais faire plein de choses. Tout ce dont j'avais rêvé sans pouvoir le réaliser : m'occuper du jardin, lire, apprendre à jouer d'un instrument de musique, me réconcilier avec l'anglais et bien d'autres projets. Je pensais que j'allais enfin pouvoir vivre et réaliser tous les projets que j'avais mis en jachère durant des années. J'ai toujours ces projets, mais c'est curieux, ils ne se traduisent pas encore en actes, ils restent à l'état d'intentionnalité paresseuse, dans les limbes…

« Par contre, je découvre que le plus important, c'est de me retrouver moi, de me relier à ma propre personne. Au fond, c'est elle que j'avais négligée durant toutes ces années consacrées aux autres. C'est moi que je dois réapprivoiser, découvrir et recharger d'énergie… »

J'imagine tout à fait le cheminement nouveau de cette ancienne enseignante, qui prend conscience qu'elle a besoin de vivre dans l'être plus que dans le faire. Je pense aussi à tout ce qu'elle pourra s'offrir et recevoir lorsqu'elle aura pu enfin se rencontrer et s'apprécier pleinement.

**Approcher la paix intérieure
qui ressemble au bonheur…**

Prendre sa mort en main

De plus en plus de personnes envisagent de ne pas mourir n'importe comment. Surtout, elles ne souhaitent pas laisser leur entourage ou le système médical décider pour elles de la nature des soins qui leur seront nécessaires quand elles atteindront la fin de leur vie, ou de la nécessité de les maintenir en vie alors qu'elles se sentiraient prêtes à passer de l'autre côté. C'est une décision qu'il convient de prendre en accord avec soi-même, en fonction de choix de vie personnels et en préparant son entourage à respecter les conséquences de sa décision.

Dans différents pays, des associations proposent des contrats d'anticipation pour prévoir la façon dont on veut être soigné et jusqu'où, quand on ne sera plus en mesure de s'exprimer ou de décider. Pouvoir refuser d'être ranimé à n'importe quel prix et avec n'importe quelles conséquences, pouvoir ne pas accepter des interventions chirurgicales de confort, pouvoir opter pour des soins palliatifs, pouvoir garder le respect de soi quand la vie s'échappe du corps telle une hémorragie qui laisse sans volonté ou sans force – il vaut mieux le prévoir. Car on ne sait jamais à l'avance ni l'heure ni la façon dont on finira ses jours, quand surgira l'appel de ce que l'on appelle la mort.

Dans l'esprit de beaucoup, bien mourir est lié au souhait de partir vite, sans souffrance et même parfois sans conscience, dans son sommeil : « Ne pas se sentir mourir », me dit un parent. « Moi, je voudrais mourir dans mon sommeil, sans m'en rendre compte », me confie un autre proche. Mais la vraie demande est de mourir sans souffrance, apaisé, en accord avec son corps et son entourage. Pour l'un de mes amis, j'ai trouvé une très belle formule : « Partir sans laisser de zones d'ombre derrière soi. » C'est-à-dire avoir mis de l'ordre dans sa vie, avoir pu accepter d'être plus au clair avec ses engagements, eux-mêmes liés à la façon dont on a vécu. Car mourir en laissant des situations en suspens, des conflits ouverts et des blessures à vif derrière soi constitue une violence souvent impossible à gérer pour ceux qui restent.

Il faut se rappeler que beaucoup de tabous et d'enjeux familiaux complexes resurgissent en fin de vie (de même qu'en *faim* de vie!). Prendre sa mort en main est lié à la capacité de lâcher prise, non seulement pour la personne concernée, mais aussi pour l'entourage proche. Je pense qu'il est important pour les proches, les intimes, les enfants adultes, de pouvoir autoriser la personne en fin de vie à mourir: «Tu as le droit de passer de l'autre côté. Si tu sens que tu as vécu tout ce que ton corps pouvait vivre, tu peux oser nous quitter. Ta vie t'appartient...» Il me semble que pouvoir donner une telle autorisation à un être aimé est non seulement un beau cadeau, mais un témoignage d'amour inestimable.

Souvent la peur et le refus de souffrir produisent une souffrance plus grande que la mort. En ne voulant pas mettre de balises, nous sommes parfois conduits à mettre trop de barrières...

L'ultime combat

Avec l'âge, après avoir mené de multiples combats *contre* l'injustice, la torture et l'intolérance, *pour* la liberté de la procréation, la contraception, l'enseignement de la communication à l'école, il m'arrive de penser qu'il reste un combat ultime à mener : le combat contre soi-même. Non pas un affrontement destructeur, mais un combat contre l'aveuglement, la surdité, la pseudo-compréhension qui incitent parfois à tout accepter au nom d'une tolérance qui n'est plus alors que du laxisme... Se battre contre ses propres tendances à la facilité et au confort moral qui accompagnent le bien-être matériel, acquis après une vie de labeur. Ce confort moral, dans une vie bien remplie, semble un dû car, obtenu de haute lutte, il n'accepte pas facilement d'être bousculé ou remis en cause.

Bien sûr, j'ai appris la prudence et la relativité. J'ai de bonnes raisons pour ne plus m'engager avec autant de passion qu'autrefois, pour batailler avec moins de conviction et mettre de l'eau dans mes indignations contre la bêtise, les abus quotidiens et les injustices plus lointaines. Ayant découvert les leurres et les duperies que recèlent la plupart des idéologies que j'ai fréquentées, je suis devenu plus prudent, ce qui ne veut pas dire moins ardent ou plus passif !

Je ne veux pas non plus me donner l'alibi d'une fausse sagesse acquise au fil de la démystification douloureuse des croyances de ma jeunesse et des utopies de l'âge adulte : des lendemains qui chanteraient plus bleu, un avenir sans guerre, un monde sans famine... Les déceptions accumulées, les trahisons surmontées, la découverte brutale des corruptions, des déviances, la frivolité frileuse de certains en qui j'avais cru et qui me semblent s'être trahis, détournés de leurs idéaux, les retournements d'engagements qui m'ont blessé, tout cela ne doit pas être un prétexte pour ronronner...

Je suis d'une génération qui, à la lumière (si j'ose dire!) des exactions, des guerres, des tortures, des génocides, avait cru en des changements définitifs, et qui découvre combien il est facile de trahir sa propre jeunesse, de ne plus respecter tout ce pour quoi, à 20 ans, elle avait décidé de vivre.

Pour moi, aujourd'hui, l'ultime combat ne consiste pas seulement à me respecter en refusant de participer à la lente dégradation et stérilisation du vivant, mais à rester vigilant de façon à maintenir ma conscience éveillée, à lutter contre les facilités d'une conscience que je voudrais apaisée alors qu'elle est endormie.

Je croyais n'avoir aucun ennemi,
mais l'âge m'en a fait découvrir beaucoup.
Ils se nomment: intolérance, préjugé, hypocrisie
sociale, injustice, jalousie, rumeur, haines cachées...

La difficulté d'être

Qu'est-ce que le bonheur ? C'est renoncer au plaisir d'être malheureux.

Qu'il est difficile d'être belle !

À l'époque où j'animais des sessions de formation, j'ai souvent entendu des femmes splendides, belles et séduisantes, dire combien il n'était pas facile pour elles d'être belles : « J'ai suscité très tôt des désirs, des audaces et des provocations. Je ne sentais ni amour ni respect pour ce que j'étais vraiment, je me sentais désirée plus qu'aimée », « J'étais recherchée, parce que ma présence à leur côté les valorisait, croyaient-ils, aux yeux des autres hommes », « C'est une image de moi qu'ils prétendaient aimer, quelqu'un que je n'étais pas, une représentation qu'ils idéalisaient ».

Oui, il est certainement difficile d'être belle pour celle qui est considérée comme telle, mais qui sent qu'au plus profond d'elle-même, elle entretient des doutes, un manque de confiance, une insécurité sur la valeur réelle de ce qu'elle inspire : « Je ne me sentais pas aimée, je doutais des intentions, des déclarations, je me méfiais des engagements… », « Je portais ma beauté comme un masque derrière lequel je cachais toutes mes insuffisances, mes manques. J'enviais mes copines pour leur intelligence à discuter sans complexe avec les garçons ! », « Un jour, j'ai essayé de me mutiler, de me faire une balafre sur la joue, pour vérifier ce que mon mari aimait en moi ! Était-ce la belle femme qui lui faisait honneur, qu'il pouvait montrer, qui déclenchait un mini-séisme quand elle entrait dans un restaurant ou arrivait à une réception, ou celle que j'étais, paumée, avide de réassurances et de marques de tendresse et de sympathie ? ».

Une femme belle déclenche rarement de la sympathie chez les autres femmes et peu de marques de tendresse chez les hommes, qui restent prudents, dans l'expectative. Elle peut provoquer une attirance qui tient à distance, susciter des commentaires, mais elle inspire surtout des jugements de valeur négatifs chez ceux qui traquent la faille en faisant des insinuations ou tiennent des propos à double sens visant à la déstabiliser.

Être belle aujourd'hui, c'est risquer d'être perçue comme un produit de consommation, risquer de devenir l'enjeu d'une appropriation et donc d'une dépossession de soi-même. J'imagine qu'une femme très belle doit se protéger, vivre dans un univers intime, personnel, et demeurer inaccessible aux aspirations de ceux qui l'entourent tout en témoignant de sa présence par autre chose que son apparence. J'imagine...

**Il est des femmes dont la beauté stupéfie le regard
mais la grande beauté demande que l'on soit humble.**

« À l'approche de l'hiver, je déprime ! »

Chaque saison est porteuse de messages d'espoir, de rêves et de stimulations différentes concernant notre vie, nos projets, nos engagements. L'automne est pour beaucoup une saison de dépouillement, de rupture et de nostalgie. Après l'éclat de l'été, les éblouissements du mois d'août, l'émerveillement des journées scintillantes de septembre, quand le ciel semble plus bas, les journées plus grises, le temps plus agressif ou plus tristounet, entre pluie et brouillard, quelque chose semble mourir en nous sans que nous sentions encore les germes d'une renaissance. Comme si l'espoir se dérobait devant la perspective du ciel triste, de l'horizon occulté…

L'approche de l'hiver qui se prépare nous incite parfois à un repliement, à un isolement, à une recherche de protection. Certaines personnes se sentent plus vulnérables, plus sensibles aux agressions naturelles et peuvent avoir le sentiment d'être plus fragiles, de perdre un peu de leur vitalité : elles dépriment. Le raccourcissement des jours a un effet psychologique sur le moral et sur la nature même de nos engagements. Il appartient à chacun de se préparer pour trouver des ressources et se donner des repères afin de mieux baliser ces journées de transition qui sont maussades, fermées, plus opaques que d'autres.

Alors que l'été, nous sommes plutôt extravertis, inscrits au cœur de la réalité qui nous environne, quand nous arrivons dans l'automne, nous vivons plus à l'étroit, avec le sentiment que le monde se referme et nous offre moins de possibilités. C'est souvent une période durant laquelle nous prenons plaisir à nous rendre au spectacle, au cinéma ou au théâtre, ou à aller écouter de l'opéra, pour faire le plein de beauté et de plaisir.

La répétition régulière de périodes dépressives et moroses dans notre vie, pour peu que nous la mettions en relation avec les moments de notre conception ou de notre naissance, peut nous éclairer sur un vécu plus ancien concernant ces périodes. Nous découvrirons peut-être alors que lorsque nos parents nous concevaient ou nous accueillaient dans la vie, ils s'entendaient moins bien, se déchiraient, voire même envisa-geaient de se séparer… Si notre conscience l'a oublié, notre corps en a gardé la mémoire. Notre corps garde la mémoire de tout ce qui con-cerne les états émotionnels, conflictuels et heureux de notre histoire. Nous pouvons donc établir des liens entre certaines périodes de notre existence actuelle et les moments clés de notre vie tels notre concep-tion, notre naissance, un abandon soudain, une perte ou la séparation d'avec un être significatif.

Il y a un soleil en chacun de nous, ce soleil ne peut être séparé ni de notre ciel intérieur, ni de notre terre profonde, de l'humus d'où nous sommes issus.

« Oui ou non ? »

La peur d'être rejeté, de ne plus être aimé, d'être jugé comme un égoïste, fait que certains d'entre nous éprouvent des difficultés à dire non. Aussi disent-ils oui, mais il leur est ensuite difficile de se situer. En conséquence, ils prennent le risque d'être définis par les attentes, les désirs ou les peurs de l'autre.

Le oui que nous donnons quand nous n'osons pas dire non n'est pas un vrai oui. Il s'agit souvent d'une pseudo-acceptation laissant croire que nous sommes d'accord alors que nous adoptons une attitude de soumission passive qui débouchera inévitablement sur des sabotages relationnels et des conflits larvés.

La difficulté à dire non relève chez certains du désir de faire plaisir ou de nourrir une image de soi positive : « Regardez comme je suis bon, patient, généreux. J'accepte tout ce qu'il me demande ! » Mais du même coup, la personne engrange des frustrations et du ressentiment qui se traduiront par de l'ambivalence et de l'agressivité larvée.

Les pseudo-oui qui s'accumulent sont *énergétivores*. Le corps se rebellera et tentera de nous alerter sur ce manque de respect de nous-même en produisant différents symptômes : lumbagos, migraines, maladies de peau, troubles intestinaux. Comme si notre corps nous disait clairement par ces mises en maux : « Tu ne te respectes pas ! »

J'ai en mémoire cette femme qui racontait sa propre aliénation quand elle n'osait pas s'opposer aux requêtes de son mari : « Pendant 18 ans, j'ai accepté que la mère de mon mari vienne passer le dimanche avec nous. Mon époux y tenait beaucoup. Je ne savais comment dire non, je souriais à ma belle-mère, je faisais tout ce qui me semblait être mon devoir de belle-fille et… j'étais constipée comme peu de femmes doivent l'être, allant jusqu'à m'administrer des lavements tous les trois jours ! Ma constipation a disparu le jour où j'ai osé dire non à ces dimanches consacrés à la gloire de ma belle-mère et à la dévotion que je me sentais tenue de lui témoigner ! »

Oser dire non pour se respecter peut s'apprendre à tout âge !

C'est toute l'humanité qui se libère
un peu plus chaque fois qu'une personne
fait un travail personnel de conscientisation
et de changement.

Apprendre à dire non

Une grande partie de notre éducation, donc de nos conditionnements, est fondée sur l'injonction à respecter les adultes qui nous entourent, sur l'obéissance, voire la soumission.

En dehors de la fameuse crise d'opposition de l'enfant de trois ans qui dit non à tout pour se différencier et s'affirmer, dire non n'est pas facile pour la plupart d'entre nous. En particulier quand nous sommes l'objet d'attentes, de demandes venant de la part de personnes aimées. Nous avons peur de leur faire de la peine, de nous faire rejeter ou de ne plus être aimé, apprécié. Nous craignons d'être vu comme un égoïste ou un sans-cœur.

Dire non de manière affirmative, en adoptant une position personnalisée, plutôt que de façon négative, en rejetant ou nous opposant, peut s'apprendre à tout âge : « Je ne t'accompagne plus aux matchs de foot que tu apprécies tant. Je ne me sens pas à l'aise au milieu de tant de cris et d'agitation, je préfère aller au cinéma ou lire », « Ce soir je n'éprouve pas le désir de faire l'amour. Ce n'est pas contre toi ni pour disqualifier ton propre désir, c'est pour respecter ce que je ressens », « Je ne souhaite plus laver tes affaires ni en prendre soin, tu as 25 ans, je considère qu'il t'appartient de t'en occuper ». Ces mots, ces tentatives d'affirmation, nouvelles dans un premier temps, peuvent inquiéter, déstabiliser celui qui les reçoit, surtout s'il a été habitué à notre soumission.

Dire non n'est pas nécessairement le signe d'un désaccord ou d'un conflit, c'est la manifestation d'une différence, d'une prise de position personnelle, c'est l'ouverture à la possibilité d'une confrontation. C'est l'expression de notre unicité, de notre singularité et surtout le témoignage que nous éprouvons le besoin de respecter ce que nous ressentons, nos idées et nos choix de vie.

Dire non peut correspondre à un moment précis de l'évolution d'une personne, le moment où elle éprouve fortement le besoin de se faire reconnaître, de sortir de la dynamique de passivité ou de soumission dans laquelle elle s'était enfermée, parfois d'elle-même. Un de mes amis me rappelait combien il avait été important pour lui de ne plus accepter la présence de sa belle-mère au domicile conjugal. Belle-mère qui s'était installée à demeure après la naissance de son enfant en prétendant « s'occuper de son petit-fils et aider sa fille, mal secondée par son mari… »

Dire non est une marque de respect envers nous-même, quand ce non correspond à ce que nous ressentons réellement. Une relation vivante et saine est une relation dans laquelle existe justement la liberté de pouvoir dire non à l'autre sans déclencher chez lui un drame ou un malaise. Oser dire non à l'autre, c'est parfois dire oui à un peu plus de soi-même.

Des découvertes extraordinaires ont marqué ma vie mais il en est une qui m'a semblé centrale. C'est le jour où j'ai pris le risque d'exprimer mon point de vue, et où j'ai senti que c'était vraiment le mien.

« La culpabilité, je connais... »

Elle est étonnamment jeune, elle est mère de deux enfants et porte sa cinquantaine avec une joyeuseté d'adolescente. En réaction à l'un de mes articles, elle m'écrit et partage quelques-unes de ses réflexions...

« La culpabilité, je connais ! Je suis tombée dedans, bien avant ma naissance. En vous écrivant, j'éprouve, c'est curieux, le besoin de m'adresser directement à ma mère, de lui parler ouvertement, à travers vous...

« "D'ailleurs, maman, il faudra qu'un jour je te restitue cette culpabilité qui t'appartient et que tu m'as fait endosser... Avec ma complicité lorsque j'étais plus jeune, mais aujourd'hui je la trouve trop lourde à porter, alors j'ai envie de te la rendre. Car vois-tu, maman, aujourd'hui, j'ai grandi, mes épaules se sont élargies : cet habit de coupable me gêne aux entournures. Vois comme les coutures cèdent les unes après les autres. Si je somatisais, ce serait sans doute sous la forme d'une sclérodermie. Ma peau est semblable à un manteau qui devient trop étroit et menace d'éclater... J'ai longtemps pensé que j'étais coupable d'exister. Mais ma faute ne s'arrêtait pas là ! Tout ce que je faisais était nul, sans valeur, irrecevable par toi.

« Depuis quelques années, grâce à quelques rencontres, à des lectures, je mue... Un jour, c'est sûr, je sortirai définitivement de ma gangue/prison. La prison, tu l'as évitée, celle des hommes, celle dont les murs sont palpables. Tu as été reconnue innocente, « non coupable » justement ! Ma pauvre mère, comment as-tu pu survivre, porteuse de ce drame, de cet "accident" ? J'ai d'ailleurs longtemps cru que cet *accident* relevait de mon imagination. C'est dire si je mélangeais les événements ! Mais à quel prix as-tu survécu ? Claquemurée à vie, à survie, devrais-je dire... Car peut-on appeler vie cette existence de renoncement à tous tes désirs ? Je sais maintenant pourquoi tu as endossé l'habit de victime : celui de coupable, tu l'as essayé et il t'a brûlée au dernier degré. S'ouvrant selon une dynamique d'entonnoir, il t'a rendue insensible à toute émotion, incapable de tout partage : les événements passaient, s'engouffraient en toi et disparaissaient sans produire aucune sédimentation – car tu avais fait le deuil de la Vie. Et depuis, tu n'as pas cessé de te punir : sclérose en plaques (en plaques superposées, en strates) !

« Tu es une habile cuisinière des relations proches. Ta spécialité : le tian de l'oubli, une couche de repli sur soi, une couche d'agressivité et puis une d'indifférence – et on renouvelle l'opération jusqu'à l'épuisement.

« Paradoxe apparent : tu m'as semblé plus humaine le jour où j'ai appris que tu avais tué, oui *tué*, à 15 ans, ton propre frère âgé de 16 ans. Cela s'est passé un soir, au moment du coucher, dans la maison familiale. Mon grand-père, vrai Corse du Niolo profond, possédait un revolver. Tu l'as braqué sur l'un de tes frères, Ghjuvanni-Baptiste. Le coup est parti « comme ça, tout seul », as-tu dit. Son nom a été écrit dans les journaux de l'époque de façon erronée… Je ne peux imaginer ce qu'il t'avait fait pour avoir eu à payer ce prix ?

« Oserai-je un jour te demander plus de détails, toi qui pour toute solution as trouvé le déni ? Jusqu'à nier l'existence de ce frère, quand je te demandais si tu étais fille unique et que tu me le confirmais. Toi que j'ai toujours connue constipée, en rétention. Il est des pollutions difficiles à évacuer, si difficiles qu'une vie ne suffit pas."

« Voilà, l'essentiel est dit », m'écrit ma correspondante, en ajoutant, avec un sursaut de lucidité : « Pardonnez-moi de m'être servi de vous. Cela m'a fait du bien de m'adresser à celle qui est ma mère, à travers vous. »

C'est une des vertus de l'écriture que de faire passer au-dehors ce qui a été enfermé trop longtemps au-dedans. Qu'importent le discours et son cheminement, c'est le message qui est important ; ce qu'en fera le destinataire lui appartient.

> « Tout bonheur que la main ne peut atteindre n'est qu'un leurre. » J'ignore qui a écrit cette phrase, mais je sais qui me l'a envoyée !

Éloge de la plainte

Beaucoup, beaucoup de gens adorent se plaindre. Pour rien au monde ils ne renonceraient à ce plaisir : « Vous savez, ça ne va pas du tout. Et puis, il faut que je vous le dise, plus ça va, moins ça va ! Je n'y comprends rien, je n'y arrive plus, je n'y suis jamais arrivé d'ailleurs. Tout semble se liguer contre moi… »

« Ah ! la vie n'est pas un cadeau. Je préfère ne pas commencer à vous dire tout ce qui ne va pas, ça me déprimerait encore plus ! Remarquez, de toute façon, je ne me suis jamais senti bien. Déjà tout petit, je voyais bien que rien ne se passait comme je voulais, et cela n'a fait qu'empirer avec l'âge. D'ailleurs, je n'ai jamais eu de chance. Aussi loin que je remonte dans mes souvenirs, je ne vois pas un seul instant où j'ai été heureux. Bon ! d'accord, c'est mon lot, certains diront mon "karma" ou mon "destin". Mais le mien est vraiment gratiné. Je n'arrive pas à m'y faire. Non, non, je ne m'y fais pas ! »

« Je vais mal. Vous allez peut-être me dire que si déjà j'acceptais d'aller mal, je souffrirais moins, mais dans mon cas, je ne peux pas accepter. D'abord, je trouve que ce n'est pas juste, alors vous imaginez ma souffrance. En vérité, je dois vous le révéler avec simplicité, j'éprouve une double souffrance : une première souffrance pour tout ce qui ne va pas, et une autre pour tout ce qui devrait aller mieux mais ne s'améliore pas ! Quand l'une diminue, l'autre augmente et vice versa. Je ne peux pas m'en sortir… »

« Au fond, ce que je voudrais, je vais vous le dire sans rien vous cacher : je voudrais que ça aille bien chez moi naturellement, sans avoir à faire d'effort. Je ne demande pas beaucoup, simplement d'aller bien, de me sentir heureux. Je voudrais que tout soit "cool" sans que j'aie à m'interroger sur ce qui ne va pas ! Je voudrais que le bonheur me fréquente un peu au lieu de m'éviter ainsi qu'il le fait comme si j'avais une maladie honteuse ou sentais mauvais ! Bon, je fais une supposition : si cela m'arrivait d'aller mieux, je sais que j'aurais du mal au début parce que j'ignore ce qu'est le bonheur ou se sentir bien. Mais je peux m'entraîner, dépasser les premières douleurs, faire preuve de patience et de bonne volonté. Je vous assure, je crois que je pourrais oser aller mieux si le bonheur acceptait de me dire bonjour ou si jamais quelqu'un ou un événement me donnait la possibilité de le rencontrer ! Il me semble, voyez-vous, qu'il suffirait d'un petit rien, et j'irais moins mal. J'irais mieux, même si c'est difficile. Mais ce petit rien, c'est quelque chose que je n'ai jamais rencontré ou que je ne vois pas. Je sens que ça existe, là, tout proche, mais je ne le vois pas. Oh ! je suis sûr que je passe tous les jours à côté sans le voir, mais bon sang, personne ne m'aide. Ah ! si vous saviez comme ça fait mal d'aller mal ! Vous ne pouvez pas savoir, vous. Pour vous, je le vois tout de suite, ça va ! Mais soyons positif. Supposons que vous sachiez déjà ce que je vous raconte : vous seriez affable, voire attentif quelques instants même si je doute que cela vous intéresse vraiment ! Mais ensuite vous vous en ficheriez ! Oui, les gens sont durs, très durs avec ceux qui souffrent depuis toujours. Je vous le dis. »

« Je ne sais pas comment font les autres, mais autour de moi, j'ai l'impression qu'il y en a qui arrivent à aller un peu mieux… Remarquez, je n'en rencontre pas beaucoup ! Mais aller mieux, c'est pas pour moi. Moi, c'était foutu dès le départ, tout bébé. Vous pensez, avec les parents que j'ai eus ! C'était pas une vie qu'ils avaient, alors avec moi en plus, ça a été la "cata" ! C'est bien simple, je n'aurais jamais dû naître. Au moins je n'aurais pas ajouté au malheur du monde et au leur. Ils n'auraient pas eu besoin de me rejeter, de me faire sentir tous les jours que sans moi, ils auraient pu être, non pas heureux, mais moins malheureux ! Mais voilà, je suis né. Je ne pouvais tout de même pas me suicider dans le ventre de ma mère ! Je suis quand même venu au monde, et depuis ça n'a pas arrêté. Tous les malheurs de l'univers me sont arrivés. Vous n'allez pas me croire, j'en suis sûr, vous allez faire comme les autres, penser que j'exagère ou que j'aime me plaindre ! Quelqu'un m'a dit – vous vous rendez compte de la cruauté des gens ! – que je me masturbais les neurones avec mes malheurs – vous vous rendez compte de leur inconscience ! J'ai bien essayé la masturbation mais ça donne un plaisir triste. Comme s'il manquait quelque chose… Dans la souffrance par contre, il y a parfois du plaisir, comme celui de gratter une vieille croûte. »

« Vous allez me demander comme les autres "mais qu'est ce qui ne va pas ? "Tout, absolument tout. Là, je n'ai aucune hésitation : r-i-e-n n-e v-a ! C'est clair. Chez le médecin, quand il me demande ce qui m'amène, je réponds toujours « rien de neuf, que du vieux, que du connu qui se renouvelle tout seul. » Je n'ai pas d'effort à faire, le *mal-être* est endémique chez moi. Pourtant, je vous assure que je ne fais rien de particulier. Je ne suis pas plus idiot qu'un autre, pas plus tordu, mais voilà, je passe dans les mailles de la vie et je me retrouve suspendu au-dessus d'une marée d'ennuis, des fois j'ai les pieds dedans et des fois je plonge carrément. »

« J'entends déjà votre question. Vous allez me demander *où* j'ai mal ! Mais partout, du haut en bas, du dedans au dehors, dans ce qu'il y a de plus sensible en moi à ce qu'il y a de plus coriace, partout et sans arrêt. Si encore j'avais des pauses, des oublis, des vacances. Je ne sais pas, moi, un petit miracle ! Pendant quelques jours le malheur qui passerait à côté de moi sans me voir ! Non, même pas ça à espérer ! »

« Rien ne fonctionne bien. Je vivote, je survis, je rame. Je devrais dire "je galère", sans plus, sans avancer ni couler, je fais du surplace, je m'efforce de garder la tête hors de l'eau. C'est épuisant, vous n'avez pas idée ! Essayez de vous mettre à ma place, vous verrez, vous ne tiendrez pas cinq minutes. D'ailleurs, personne ne veut la prendre, ma place ! Les gens sont d'un égoïsme, c'est pas croyable ! »

« Pourtant c'est pas faute de demander de l'aide. Je ne fais que ça : appeler, crier, soupirer, supplier. Mais même ça, c'est encore trop. Les gens d'aujourd'hui veulent des plaintes silencieuses et dignes, le regard baissé qui se fait humble, la main tendue mais pas insistante. Ils veulent une souffrance qui ne racole pas – ça les gêne... »

« Non, dans mon cas, c'est le désintérêt le plus complet. J'ai l'impression de leur casser les pieds avec mon *mal-être* ! Même ma femme n'a pas tenu le coup, seulement 10 ans et puis hop !, elle est partie avec un musicien. Quelle imbécile ! Elle disait qu'elle aimait la vie. Comme si on pouvait aimer la vie avec moi ! Alors je vais vous le dire, à vous qui m'avez écouté jusque-là. Je ne me décourage pas, vous savez. Je vais continuer ! Je vais aller mal jusqu'au bout. On verra bien qui sera le plus têtu de mon malheur ou de moi, qui lâchera prise le premier ! Allez ! J'espère que ça ne va pas trop mal pour vous. Sinon n'hésitez pas, commencez à vous plaindre, vous verrez, on ne va pas mieux mais au moins on a quelque chose à dire. »

De fait, il est délicieux de se plaindre, d'accuser le sort injuste, les dieux ou le ciel, le gouvernement ou le voisin. Quel bonheur de se présenter aux yeux du monde entier comme n'ayant pas eu la chance d'être heureux au moins une fois dans sa vie...

Quel plaisir pour d'autres d'entretenir la croyance malsaine et tenace, le sentiment négatif et féroce qui les taraude, celui de n'avoir que de la malchance, que le sort est inévitablement contre eux, tout en nourrissant, à l'arrière-plan, l'idée tout aussi irrationnelle que les autres, tous les autres, des veinards, eux, ont de la chance !

Celui qui se plaint est en effet persuadé qu'il lui manque quelque chose qu'il aurait dû recevoir ! Qu'il a été oublié dans la répartition des bienfaits, que la justice divine ou temporelle n'a pas fonctionné à son endroit. Que s'il possédait ne serait-ce qu'une miette de cette fameuse chance, rien de tout ce qui le désole, le décourage ou le meurtrit n'existerait plus !

Attention! Ne commettez pas l'erreur de vouloir apaiser quelqu'un qui se plaint. Celui qui se plaint ne demande pas à être rassuré ni à changer: il demande quelqu'un qui l'écoute, un réceptacle, une «poubelle» en quelque sorte où il puisse vider son insatisfaction, raconter par le détail la somme de tout ce qui lui est tombé dessus sans qu'il le veuille, sans qu'il ait fait quoi que ce soit pour attirer tant de mésaventures, de malheurs et de catastrophes! Ce qui est la preuve même de sa bonne volonté: «Ce n'est pas ma faute, je fais attention, je me méfie et crac! Ça tombe sur moi. Même l'ordinateur des impôts a fait une erreur, et aux dépens de qui? De moi! Si encore cela avait été à mon avantage! Mais non! Et ils ne m'ont remboursé que six mois après alors que j'empruntais déjà pour boucler mes fins de mois! Ce n'est pas de la malchance, ça?»

Ainsi, certains ne vivent-ils pas, mais survivent plutôt, au milieu d'une série de catastrophes qui font boule de neige et provoquent des avalanches socioéconomiques, des tempêtes affectives, des tremblements de terre relationnels.

Il existe souvent, peut-être faut-il le dire au risque de surprendre, une érotisation de la plainte chez celui qui savoure avec délectation tant de catastrophisme!

« Ce que j'aime, c'est souffrir en silence,
incompris de tous, surtout de ceux qui m'aiment. »
(ENTENDU SUR LA PLAGE)

Une victime idéale

Le goût de se victimiser, comme le goût de se plaindre, doit sembler incomparable à beaucoup de personnes tant elles prennent de plaisir à énoncer leurs multiples malheurs, à détailler la foultitude d'ennuis et de contrariétés qui peuvent surgir dans leur vie ou dans celle de leurs proches. Se victimiser comporte en effet de nombreux avantages, parmi lesquels :

• capter l'attention de l'autre et en attendre des marques d'intérêt, des signes de compassion ;

• accuser ou tout au moins reprocher à l'autre d'avoir fait ou pas fait, dit ou pas dit ce qu'il aurait dû…

Se victimiser est une façon de s'assurer une emprise sur l'autre en le mettant dans une position vulnérable : « Tu n'as pas le droit d'être heureux, regarde comme je suis malheureux ! » Accuser, reprocher, mettre en cause les autres, la société, le destin ou le hasard permet surtout de se déresponsabiliser en attribuant la responsabilité de ce qui nous arrive à des éléments qui se situent hors de nous.

Ces victimes, contrairement à ce que l'on peut imaginer, sont rarement passives, elles font plutôt preuve d'un activisme dynamique tous azimuts. Tels les enzymes gloutons de nos lessives d'autrefois, elles nous laissent lessivé, démuni, affligé, coupable.

L'arme privilégiée de la victime est la culpabilisation par laquelle elle tente de rendre l'autre, quoi qu'il ait fait, responsable de ce qui arrive : « Tu dois te sentir concerné par mes ennuis et ne pas les prendre à la légère. Si ce n'est pas le cas, c'est que tu ne m'aimes pas ! »

La victime, non pas accidentelle, mais régulière, tenace, pratiquante assidue dans sa collaboration à tous les ennuis du monde, est en quelque sorte une quasi-professionnelle !

De façon générale, je propose de ne pas encourager le fonctionnement des victimes par une pseudo-attention ou un faux intérêt, ni tenter de leur proposer des solutions. Car c'est avec un art consommé qu'elles vous démontreront que vous les agressez, que vous êtes bien « comme les autres » en leur offrant de faire ce que justement elles ne souhaitent pas faire : être privées de leurs difficultés et surtout de la possibilité jouissive de se plaindre !

Il y a des cas désespérés et des cas désespérants, fuyez les seconds.

Perpétuellement insatisfait...

Il m'arrive de rencontrer des personnes qui sont toujours insatisfaites, habitées d'un reproche permanent à l'égard de la vie et des autres. Et d'autres qui ont du mal à recevoir, qui confondent la mise en mots et la mise en cause d'elles-mêmes, qui, devant la moindre remarque, ou commentaire, les concernant se sentent attaquées, mises en accusation et sont tout de suite sur la défensive : « Je ne sais pas pourquoi tu t'en prends à moi en me disant qu'il y a des voitures mal rangées sur le parking de l'usine » ou, pour peu que nous relevions devant elle le fait que 73 % des personnes ne lisent pas : « Ah bon ! Tu dis ça pour moi, tu crois que je devrais lire plus ? » Une de mes voisines prétendait que le facteur faisait exprès de terminer sa tournée par elle pour qu'elle soit la dernière à recevoir son courrier...

Ces personnes sont d'une grande habileté à se transformer en victimes et à prétendre que le monde entier est contre elles. Ces éternels persécutés se transforment quelquefois en persécutants. Cela peut s'avérer gênant pour l'entourage : « Puisqu'il fait exprès de laisser son vélo contre mon mur, je dépose mes ordures contre le sien... », « J'ai remarqué qu'il brûle toujours ses ordures quand le vent souffle en direction de ma maison et chaque fois que j'étends mon linge. Alors je jette des boulettes empoisonnées à ses chats ! »

Certaines personnes peuvent ainsi construire leur vie autour d'un petit nombre de comportements visant à punir, à sanctionner les autres ou à leur faire comprendre « ce qui ne se fait pas ». Si vous avez un voisin de ce style, vous allez au-devant de nombreux conflits, pour la plupart insolubles. Il ne vous reste qu'à envisager de déménager, à moins que ce voisin ne trouve une personne plus proche que vous à persécuter !

Il est quasiment impossible de modifier le comportement de telles personnes. Toutes vos tentatives d'explication, de clarification, votre patience et même votre bonne volonté se retourneront irrémédiablement contre vous. Le persécuteur, lui, a toujours de bonnes raisons de vous persécuter même si vous, vous les ignorez !

Celui qui prête aux autres une intention maligne et se sent ensuite persécuté peut ainsi justifier à l'infini ses propres comportements persécuteurs.

Adepte de la répression imaginaire

J'appelle répression imaginaire l'ensemble des interdits, des censures et des frustrations que nous nous imposons à nous-même, en imaginant à l'avance que nos dires, nos propositions, nos actes seront mal reçus ou feront l'objet d'un jugement de valeur négatif de la part de notre entourage. Pour cette raison, nous exerçons une véritable censure à l'égard de nous-même, par laquelle nous nous interdisons de donner et surtout de recevoir: «Je ne vais quand même pas acheter cette robe-là, elle est trop sexy. Ils vont penser que je cherche à draguer le chef de service!», «Je suis sûre qu'ils m'ont invité en vacances par pitié. Je ne peux pas accepter. Ils doivent croire que je ne sais pas me débrouiller tout seul...»

La répression imaginaire constitue un véritable poison propre à se répandre dans notre psychisme et à conditionner une part importante de notre existence. Elle est une autopollution très active, en prise directe sur nos pensées, nos gestes, nos comportements, car nous imaginons nous-même, par anticipation, les opinions, les jugements de valeur et les réactions de l'autre: «Je suis persuadée que ma voisine va penser que j'exagère si je lui emprunte encore son fer à repasser...», «Les parents des copains de mon fils vont croire que je suis une mauvaise mère ou, pire encore, une femme pingre, si je ne lui achète pas les chaussures de marque qu'il souhaite», «Ma mère va me prendre pour une folle si je lui renvoie un objet symbolique représentant toutes les violences verbales qu'elle m'a adressées. Non je préfère tout garder et ainsi ne rien changer dans les accusations que je peux continuer à lui porter!»

Certains en arrivent ainsi soit à vivre par procuration, en s'alignant sur ce qu'ils imaginent être l'attente de l'autre, soit à se sentir dans un état de frustration permanente, en se privant de tout ce qu'ils auraient pu recevoir s'ils avaient osé demander.

Notre liberté d'être est liée au dépassement de la répression imaginaire. Elle passe d'une part par la reconnaissance de nos sentiments et de nos émotions que nous devons assumer, d'autre part par la reconnaissance de nos désirs et de nos attentes vis-à-vis desquels l'autre peut prendre toute position libre et responsable, avoir une réponse en cohérence avec ses propres désirs. Position ou réponse qui n'ira pas toujours dans le sens de nos désirs !

Oser demander, oser proposer, oser inviter ou faire les premiers pas vers quelqu'un sans anticiper le refus, la gêne ou le manque que nous projetons sur lui, c'est aussi une façon de respecter l'autre en arrêtant de penser à sa place et d'imaginer que nous allons le gêner ou le contraindre. C'est surtout arrêter de l'infantiliser en pensant à sa place !

Je ne sais rien de plus enthousiasmant et de plus stimulant que le renoncement au négativisme.

Les pathologies du pouvoir

Je peux imaginer que tout parcours menant à un haut niveau de responsabilité, que ce soit dans les domaines politique ou artistique, industriel ou financier, est constitué par une succession d'affrontements et de combats, de déceptions et de réussites qui mettent durement à l'épreuve l'équilibre personnel de celui qui, un jour, arrive enfin au plus près du haut de l'échelle sociale.

Mais j'aimerais pouvoir penser que chaque postulant ou conquérant, en marche vers plus de puissance et donc de pouvoir, aura l'honnêteté d'entreprendre un travail personnel sur lui-même et sur son histoire afin de développer une écoute et une lucidité plus grandes par rapport à ses comportements et d'accepter ainsi de pouvoir mieux reconnaître ses propres tendances, ses zones obscures, voire ses traits pathologiques.

Je pense en effet que ces derniers sont présents, au moins à l'état potentiel, chez tout individu, et qu'ils tendent à se réveiller et à prendre beaucoup de place dans certaines situations, en particulier quand les contre-pouvoirs ou les instances de contrôle sont moins présents. Tout individu qui se trouve en haut de la hiérarchie et cumule pratiquement tous les pouvoirs tout en se sachant hors d'atteinte des influences, des pressions ou encore des risques qui le guettent devrait être conscient que cette situation est susceptible de majorer sa pathologie de base.

J'entretiens cette utopie en imaginant que celui qui s'engage à la conquête du pouvoir dans une entreprise, au sein d'une organisation politique, ou pour parvenir à la charge suprême de chef d'État, pourrait avoir cette exigence intime relevant d'une éthique forte : accepter de se confronter à une démarche de prise de conscience de sa personnalité quand on s'apprête à occuper un poste important.

Je peux tenter d'expliciter le sens et la nécessité de cette démarche qui peut paraître pour le moins curieuse ou inutile, voire relever d'une forme d'angélisme, à ceux qui me lisent. J'ai observé que chacun d'entre nous a une dominante sensible qui fonctionne la plupart du temps *a minima*. Cette dominante peut être soit obsessionnelle, sadique, masochiste, hystérique, phobique, maniaco-dépressive ou paranoïde, et elle se mobilise très rapidement et se montre particulièrement active dans certaines situations de stress, d'affrontement ou de compétition. Dans ces situations, elle s'éveille et prend son plein essor. La même chose se produit à des moments charnières de notre vie. Un de ces moments est l'accession à un poste de pouvoir, à une fonction influente ou à une charge politique importante.

Dans le cursus professionnel, social ou amoureux d'un homme on peut déceler deux phases importantes :
• Une phase durant laquelle il met sa «pathologie» (qui n'est pas encore reconnue comme telle, mais qui apparaît comme un trait de caractère fortement marqué) au service de l'entreprise, de la tâche, de l'action, des projets ou de la relation amoureuse dans laquelle il est engagé. Ce qui fait que l'entourage concerné en tire beaucoup de bénéfice et le pousse à prendre de plus en plus de responsabilités et donc de pouvoir.
• Lors d'une deuxième phase, celui qui est promu mettra implicitement l'entreprise, les projets ou la relation amoureuse au service de sa pathologie. C'est au cours de cette phase que des distorsions, des dysfonctionnements, voire des abus ou des violences apparaîtront et se révéleront catastrophiques pour l'entreprise, la relation, voire le pays.

Nous avons tout dernièrement eu l'exemple d'un chef d'entreprise français qui, partant d'une entreprise nationale, a construit en quelques années une multinationale majeure sur le plan mondial. Cet homme dont les manifestations narcissiques, égocentriques, mégalomaniaques n'avaient échappé à personne a su créer un empire planétaire très diversifié dans les domaines de l'édition, de la communication, du cinéma et de la télévision. Or, malgré la chute de plus de 69 % de la valeur des actions de son groupe en quelques mois, il réclamait une augmentation de ses revenus ainsi qu'un important paquet de *stock options*.

Je pourrais citer d'autres exemples comme celui du président de l'un des États les plus puissants du monde dont la dimension paranoïde s'est révélée incontrôlable, au point qu'elle a entraîné sa destitution.

Il me semble que les décideurs et les électeurs ne font de cadeau ni à eux-mêmes ni à la personne qu'ils promeuvent en la propulsant au plus haut d'une hiérarchie, s'ils ne se sont pas assurés auparavant que cette personne a pu entreprendre en parallèle un travail sur elle-même visant à une prise de conscience ! Le prix à payer est très élevé, à la fois pour la personne qui aura à vivre les débordements d'une composante pathologique fonctionnant sans contrainte et sans possibilité d'en saisir le sens caché, et pour ceux qui devront en subir les contrecoups. J'ajouterai que ce n'est pas le pouvoir en tant que tel qui pervertit les hommes, mais l'absence de contre-pouvoir qui les livre démunis à cette part d'ombre qui peut empoisonner toute ou une partie de leur existence.

J'ai du pouvoir quand j'influence l'autre par la contrainte, quelle que soit la nature de cette contrainte. J'ai de l'autorité quand je peux l'aider à devenir lui-même.

« Je ne ris plus »

Combien de fois, au cours d'une conversation entre proches, n'ai-je pas entendu cette confidence, dite sur un ton anodin, mais que je ressens plus douloureuse, plus chargée de souffrance qu'il n'y paraît : « Cela fait des années que je ne ris plus ! » ou « Autrefois j'étais quelqu'un de joyeux, je riais pour un rien et puis sans m'en rendre compte j'ai perdu l'habitude de rire ! Une amie me disait dernièrement : "Je ne te reconnais plus, toi autrefois si joyeuse, on dirait aujourd'hui que tu en veux au monde entier !" Moi non plus, je ne me reconnais plus ! »

Rire n'est pas une question d'habitude, c'est un plaisir, un plaisir vital. Rire est en relation directe avec le bien-être, le plaisir d'être vivant, le fait de se sentir bien dans sa peau et avec autrui. C'est une façon de dire : « J'occupe le présent, je ne suis pas soucieux de l'avenir, ni persécuté par mon passé. » Rire est lié à la capacité de saisir la dimension joyeuse, étonnante ou surprenante de la vie dans une situation particulière.

Le rire est souvent le reflet d'un trop-plein de satisfactions, la marque d'un plaisir reçu et l'envie d'en témoigner, de le partager et de le faire rayonner autour de soi. Chaque rire diffuse une énergie bienveillante à l'intérieur et autour de celui qui rit. Il existe bien sûr plusieurs sortes de rires qui correspondent à des états émotionnels très différents :

• des rires crispés qui tentent de masquer une gêne et ne font que la dévoiler ;
• des rires de satisfaction, d'étonnement, de jubilation ;
• des rires de contagion, quand nous nous sentons emportés par le rire de notre voisin ;
• des rires d'émotion pudique ;
• des rires pleins de larmes, tous sens confondus ;
• des rires de gratitude à l'égard de la vie.

Celui qui rit s'abandonne, s'ouvre. Il invite en quelque sorte l'autre à partager son plaisir et sa joie. On ne peut commander son rire, mais au moins peut-on le féconder par un sourire et le partager avec ceux qui se réjouiront de nous voir rire !

**Quand je t'offre l'amour au delà de l'amour,
ce sont tous mes rires, tous mes élans,
tous mes abandons que je te propose d'accueillir.**

« Je ne sais pas pleurer »

Combien de fois ai-je entendu ce constat, parfois un peu nostalgique, chez certains hommes, plus rarement chez les femmes : « Je n'arrive pas à pleurer, je garde tout, caché au fond de moi ! », « Pleurer c'est craquer, c'est comme montrer sa faiblesse… », « Quand quelqu'un pleure devant moi, j'ai envie de le secouer, de lui dire de se ressaisir. » J'ai même entendu une fois cette remarque : « Je trouve que pleurer, pour un homme, c'est obscène ! »

Il faut savoir que les pleurs et les rires sont des langages. Ils sont l'expression d'émotions récentes ou anciennes qui remontent à la surface.

Une émotion surgit lorsque entrent en résonance un ressenti actuel et un ressenti plus ancien. Ce qui a été ressenti dans le passé, puis enfoui, refait soudain surface et télescope ce qui est éprouvé au présent, permettant à la personne de prendre conscience de ce qu'elle a vécu dans le passé. Ce témoignage l'illustre bien : « En voyant à un feu rouge cette femme roumaine ou gitane qui demandait à son bébé de tendre la main pour recevoir une pièce, je me suis mise à pleurer – à pleurer ! moi qui ne pleure pourtant jamais, raconte cette femme responsable du marketing dans une grosse entreprise. Ce jour-là je n'ai pu travailler tellement je me sentais sensible et vulnérable. Le soir dans mon lit, je me suis vue bébé, tenue à bout de bras par mon père me prenant en otage et criant à ma mère : "Si tu me quittes, tu ne verras plus ta fille." Ma mère n'est jamais partie et je me suis toujours sentie coupable, comme si c'était ma faute qu'elle soit restée avec mon père, malheureuse pour tout le reste de sa vie. »

Dans ma génération, qui n'a pas entendu cette injonction : « Quand on est un garçon, on ne pleure pas, il n'y a que les filles qui pleurnichent pour un rien ! » Aussi, beaucoup d'hommes imaginent-ils que pleurer est une tare, ou tout au moins une marque de faiblesse portant atteinte à leur virilité. Or, il se trouve qu'aujourd'hui de plus en plus de femmes apprécient cette vulnérabilité chez les hommes, car elles y voient la marque d'une dimension sensible, féminine qui les touche. Pleurer, c'est accepter d'être plus près de ses émotions, en relation directe avec ce qui est ressenti, en accord avec ce qui est vécu dans l'intime de soi.

À certaines périodes, au mitan d'une vie par exemple, reviennent souvent les souvenirs de situations restées inachevées et demandant réparation, remontent à la surface la trace des vieilles blessures qui semblaient oubliées mais qui étaient demeurées présentes au plus profond de nous. En résultent des états émotionnels imprévisibles qui font parfois croire aux hommes qu'ils dépriment ! Il n'en est rien, ils ne font que s'ouvrir à plus de vérité envers eux-mêmes et se libéreront peut-être ainsi d'une partie des non-dits qu'ils refoulent depuis longtemps au plus profond de leur être. Peut-être ainsi en étant à l'écoute de leurs émotions entendront-ils l'appel en eux à oser dire, à exprimer cette part d'indicible qui les tenaille secrètement.

Ce n'est pas parce qu'une espérance a fait naufrage
une fois qu'il faut renoncer à tout espoir.

« Je n'ai pas osé ! »

Nous nous imposons souvent plus d'autoprivation que nous ne le pensons, nous interdisant de dire, de faire, d'imaginer, de rêver : « Je n'ai pas osé te demander, j'ai pensé que tu avais bien assez de soucis avec tes enfants ! », « Comme tu n'avais pas répondu à mes deux précédents messages, j'ai cru que tu avais renoncé à notre relation et je n'ai pas osé donner signe de vie… », « Je n'ai pas osé t'inviter, j'ai imaginé que tu préférerais te reposer avec tout le travail que tu as. »

En disant « Je n'ai pas osé », en nous donnant de bonnes raisons pour ne pas appeler, demander ou faire quelque chose qui serait bon pour nous, nous pratiquons ce que j'appelle la *répression imaginaire*. Ce faisant, nous exerçons avec beaucoup d'habileté et de persévérance, et de façon très concrète, une censure sur notre spontanéité et surtout sur nos véritables besoins et désirs. Lorsque nous nous mettons à la place de l'autre, imaginant par exemple que nous le dérangeons, ou lorsque nous nous empêchons d'agir, nous ne respectons pas l'équilibre de la relation.

Je rappelle qu'une relation équilibrée comporte la possibilité de demander, de donner, de recevoir ou de refuser. Si l'une de ces dimensions manque, si elle est hypo ou hypertrophiée, la relation est malade !

Je dois également savoir que si je prends la liberté de faire une demande, je prends le risque que l'autre n'y accède pas. C'est à lui, à lui seul, de me dire si ma demande est recevable, s'il peut y répondre ou non !

Celui qui n'ose pas exprimer ses attentes risque ainsi de nourrir envers lui-même une dynamique de gêne, de manque, de frustration. De surcroît, il entretient souvent la croyance infantile, profondément ancrée chez certains : «Si l'autre s'intéressait réellement à moi, s'il m'aimait vraiment, il entendrait ma demande sans même que je l'énonce !»

Oser demander, proposer, inviter de façon suffisamment ouverte, c'est avoir le courage de nous respecter en acceptant que notre demande puisse être entendue, c'est aussi prendre le risque de nous heurter à l'acceptation, au refus ou aux limites de l'autre.

Le plus difficile dans la vie est d'oser la vivre pleinement.

« Je ne fume pas et j'en bave ! »

Julien, adolescent de 16 ans, en classe de seconde dans un lycée de province, me racontait dernièrement combien il était dur pour lui de continuer à ne pas fumer, de rester ferme sur ses positions. Il me disait comment il devait se défendre contre toutes sortes de pressions, de jugements de valeur, de disqualifications et de commentaires divers : « "T'es débile, t'as jamais fumé, tu peux pas savoir ce que c'est. Tu n'as qu'à essayer une fois, alors là tu décideras si tu continues ou pas. Tu ne sais même pas de quoi tu te prives. T'es vraiment à part…" Dans mon lycée, ajoutait-il, ils savent tous que je ne fume pas, et ils continuent cependant à me demander si j'ai pas une clope à leur passer, si j'ai du feu ! L'an passé ça a été dur, j'ai même été tenté d'acheter un paquet, juste pour pouvoir offrir des cigarettes à l'occasion et payer ainsi mon droit d'entrer dans le groupe… Le fait de ne pas fumer est considéré comme une tare, à laquelle ils associent des commentaires sur ma virilité. Je ne suis pas vraiment un "mec" : "Alors t'offriras même pas une cigarette ou du feu à ta nana si elle fume !" Je me sens sans arrêt agressé sur ma façon d'être. Ils ont tenté de me marginaliser. Ce qui me sauve, c'est que je suis bon en sport et que sur le terrain de foot je me défends pas mal… »

Il est difficile pour un enfant, pour un adolescent surtout, de se démarquer de la loi du groupe. Chaque clan, chaque groupe a un code de valeurs concernant la vêture, la façon de s'exprimer par des phrases clés, des mots particuliers et des conduites fétiches telles que des rituels, des habitudes de retrouvailles et de séparation... que doit respecter chaque membre du groupe. Et cela d'autant plus qu'à cet âge, le besoin d'appartenance est grand. La loi des pairs est plus forte que la loi du père.

Julien me disait encore combien il souffrait de ne pas se sentir accepté tel qu'il est, avec son besoin de se respecter dans sa différence. Mais il tient le coup, il continue donc à ne pas fumer – pour l'instant ! Je crois que s'il peut faire face, c'est parce qu'il a engrangé un sentiment de valeur personnelle et qu'il a pu développer une estime de lui-même qui le structure et lui donne sa cohérence.

> Accepter de renoncer, c'est faire un choix et,
> d'une certaine façon, perdre ce que l'on ne choisit pas.
> C'est aussi accepter de mettre toute la distance
> nécessaire avec ce qui n'est pas advenu.

« Je ne sais pas recevoir »

« Quand on me donne quelque chose, j'ai toujours du mal à l'accepter. Si on veut me faire plaisir en m'offrant un cadeau, je m'arrange, dans les jours qui suivent, pour offrir quelque chose à mon tour afin de remercier tellement je me sens mal à l'aise ! » Comme s'il était important pour cette femme de ne rien devoir pour ne pas se sentir en dette.

Certaines personnes ont ainsi beaucoup de mal à accepter gratuitement un geste, une attention ou une marque d'intérêt. Elles rejettent ou minimisent les manifestations positives qui leur sont adressées. Vous leur dites : « Je trouve que vous avez des yeux splendides, ce matin » et elles vous répondent : « C'est seulement aujourd'hui que vous le remarquez ? » ou « Vous dites cela à tout le monde ! ». Celui qui donne éprouve une frustration permanente vis-à-vis de ces personnes, car il ne sait jamais ce qui leur ferait réellement plaisir. Quand vous dites à une amie proche : « Je trouve ton chemisier magnifique, il te va très bien » et qu'elle vous répond : « Je l'ai acheté en solde », vous sentez bien que votre compliment n'a pas été bien accueilli…

Recevoir, c'est abandonner ses défenses, c'est s'ouvrir, c'est accepter l'altérité, la différence. Quelqu'un me disait récemment : « Mes parents m'ont beaucoup donné, mais je n'ai pas beaucoup reçu car j'avais le sentiment que je devais tout leur rendre. Rendre en étant sage, gentil, bon élève… en ne faisant pas de bruit, et surtout, en évitant de faire de la peine "à ton pauvre père qui travaille beaucoup pour que nous soyons tous heureux !", disait ma mère d'une voix plaintive. Ce qui me donnait toujours l'impression que je ne méritais pas réellement ce qu'ils me donnaient. »

Sans compter tous ceux qui ont été déçus de ne pas recevoir ce qu'ils attendaient et qui cultivent l'autoprivation : « Si ma femme avait refusé de faire l'amour avec moi tout au début de la nuit, même si par la suite elle me proposait quelques caresses et invites, je restais fermé, je refusais de recevoir pour la culpabiliser tout le bon qu'elle aurait pu me donner et dont... je me privais ! »

Nous n'acceptons pas toujours facilement ce qui vient d'autrui, mais nous pouvons au moins lui confirmer que ce qu'il nous a donné est bien arrivé jusqu'à nous.

Si nous nous rappelons qu'une relation saine est une relation où demander et donner, refuser et recevoir s'équilibrent, nous percevons combien la difficulté à recevoir peut déstabiliser les échanges et grever une relation de longue durée en maintenant ouvert un contentieux frustrant.

Il est possible d'apprendre à mieux recevoir en évaluant la qualité de ce qui vient de l'autre à l'aune de ce que l'on ressent. Ce qui me vient de l'autre est-il bon pour moi ? Si oui, je peux l'accepter sans hésiter. Quand ce qu'il m'offre est bon, puis-je le reconnaître ? Quand ce n'est pas bon, puis-je le lui restituer ? Je peux ainsi accéder à la liberté de recevoir sans me sentir ni pollué, ni coupable, ni redevable. Je peux accepter de recevoir sans me positionner comme étant redevable (sans dette) de ce que j'ai reçu !

**Recevoir est le miroir du don.
Il lui permet de prendre toute sa place,
de s'offrir sans réticence.**

Désir, besoin et autonomie

Le conflit entre désir et besoin est l'un des conflits intrapersonnels les plus difficile que nous ayons à affronter. Nous sommes parfois porteur d'un désir (d'une envie) qui nous mobilise en vue de sa réalisation, tout en nous trouvant confronté à des résistances, à une opposition, voire à un refus intérieur pour peu que nous pressentions que la réalisation de ce désir ne corresponde pas tout à fait à un besoin profond.

Certains de ces conflits sont bénins. Ainsi puis-je avoir envie de sortir et de faire la fête, tout en éprouvant le besoin de me reposer, de récupérer du sommeil ; telle femme a envie de prendre un peu de temps pour elle afin de respecter ses aspirations, d'aller au cinéma toute seule par exemple, mais elle a aussi besoin de se rassurer en préparant l'examen qu'elle doit passer dans quelques jours. « J'ai envie de voir plus souvent mes parents qui sont restés importants pour moi, dit un homme, mais j'ai besoin de savoir que je ne paierai pas ma visite d'une bouderie de ma femme, de sa culpabilisation ou de ses reproches à l'effet que je ne suis pas suffisamment présent pour elle ! »

La plupart du temps, nous privilégions notre désir car il est plus dynamique, plus vivace que le besoin, mais au moment de le vivre, le besoin se rappelle à nous et nous le fait souvent payer en sabotant notre plaisir.

Ce genre de conflit suscite encore plus de malaises et de tensions, quand sont en jeu un désir d'autonomie et un besoin engendrant la dépendance. Il en est ainsi, par exemple, quand je désire lire ou prendre du temps pour moi, mais qu'en même temps je dois assurer ma survie en travaillant ; quand je suis engagé dans la nécessité de terminer la tâche entreprise mais que je me sens attiré par une proposition de voyage. Dans ces cas, j'ai du mal à vivre pleinement l'un ou l'autre de mes choix.

Cela se complique encore lorsque des désirs parasites font irruption, augmentant ma confusion. Une femme dit : « Pendant longtemps j'ai pensé, comme ma mère, que la satisfaction de mes besoins propres était secondaire par rapport à ceux de mes jeunes enfants que je plaçais en priorité dans toutes mes actions. Mon mari me trompait, il voyait régulièrement une autre femme, et malgré mon désir de sortir de cette relation dans laquelle je me sentais dévalorisée, je mettais en avant mon désir ou mon besoin, je ne sais plus, d'être une bonne mère, de préserver mes enfants des risques d'une séparation qui les aurait privés de leur père qu'ils adoraient… »

Les conflits entre désirs et besoins paraissent souvent insolubles à celui qui les vit. Aussi tentera-t-il souvent de nier le problème en tentant de satisfaire les deux à la fois : « Je me débattais pour répondre à la fois à mon besoin de sécurité et à mon désir de liberté et d'indépendance. Je jonglais avec les contraintes, je transgressais mes propres interdits, si bien que j'étais toujours insatisfaite et angoissée quelle que soit la situation ! »

La conquête d'une autonomie personnelle plus grande et bien intégrée intérieurement passe par un dépassement de ce type de conflit.

France Quéré compte juste : « L'amour est capable de durer, nous rappelle-t-elle, mais il faut un peu d'arithmétique pour aimer. Il faut être deux et pour être deux, il faut d'abord être un. »

Apprendre l'autonomie...

Cette interrogation revient souvent chez ceux qui, justement, ont du mal à se construire ou seulement à exister en dehors de la dépendance.

Au tout début de l'existence, le nouveau-né est dépendant des réponses de l'entourage (notamment celles des parents) pour satisfaire ses besoins primordiaux. Cette dépendance physiologique entraînera par la suite, au long de l'enfance, d'autres dépendances plus subtiles et parfois plus contraignantes : des dépendances relationnelles et surtout affectives.

L'autonomie est une conquête parsemée d'embûches, d'obstacles et de pièges. Se différencier des personnes chères et proches que sont papa et maman n'est pas facile. La séparation va se heurter à ce que j'appelle la *répression imaginaire*. Celle que nous produisons lorsque nous imaginons ce qui pourrait arriver si nous faisons ou ne faisons pas, si nous disons ou taisons... Nous craignons de déplaire, d'être rejeté, de perdre l'amour de nos proches à la seule idée d'énoncer notre position ou notre point de vue : «Je ne suis pas toujours celui, celle que vous croyez», «Mes croyances ne sont pas les vôtres et ma perception du monde n'est pas la même que celle que vous avez...», «Je pense autrement, j'ai des idées différentes, parfois opposées».

Beaucoup de parents, oubliant que l'amour parental est un amour donné à l'enfant afin de lui permettre de les quitter, de se séparer de sa famille, entretiennent subtilement la mainmise infantilisante sur leurs enfants et nourrissent leur dépendance vis-à-vis d'eux.

Pour pouvoir laisser un jour ses parents, encore faut-il disposer de suffisamment de ressources personnelles, de confiance en soi et de sécurité intérieure afin d'être autonome et indépendant face aux choix de vie qui s'imposent. Outre la différenciation, qui est une sorte de mise à distance permettant de sortir de la fusion, l'autonomie suppose l'affirmation de soi, la capacité de se définir, de prendre position, et surtout la capacité de répondre avec ses propres moyens à ses besoins fondamentaux.

Un certain nombre d'adultes n'ont pas accédé à l'autonomie. Étant passés trop vite d'une prise en charge familiale à une prise en charge conjugale, ils n'ont fait que changer de dépendance. La conquête de leur autonomie en sera retardée d'autant. Ce sont les mêmes qui, durant des années, accepteront de se laisser dicter des comportements et définir par les autres, et qui un jour, en réaction, tenteront de faire payer à leur conjoint et à leurs proches les révoltes, les colères et les ressentiments qu'ils auront accumulés pendant des années à l'égard de leur famille d'origine.

Accéder à l'autonomie peut s'apprendre très tôt. Il suffit de s'appuyer sur quelques repères simples, en particulier sur une règle de vie que chacun peut faire sienne. Ainsi, celle-ci : « Je suis responsable non de ce qui m'arrive, mais de ce que je vais en faire. »

À une époque de ma vie, j'ai failli me laisser croire que c'était toi qui me manquais alors que c'était moi qui me faisais défaut.

Entre soi et l'autre

Il n'est nul besoin de se regarder dans un miroir pour découvrir que beaucoup de gens cohabitent en soi.

La source de l'amour

Pendant longtemps, j'ai cru que si nous avions été aimé dans notre enfance, par nos parents ou par des personnes significatives, nous serions à notre tour capable d'aimer. Aujourd'hui, je ne le crois plus. L'amour reçu n'est pas suffisant pour pouvoir aimer.

Pour aimer, encore faut-il accepter de nous aimer nous-même, et pour cela avoir été élevé sur la base de relations de qualité s'appuyant sur nos ressources, confirmant notre valeur, renforçant notre confiance en nous, et balisant nos limites !

Cet amour de soi, qu'il ne faut pas confondre avec le narcissisme ou l'égocentrisme, s'enracine dans la bienveillance et le respect. Pour s'aimer, avoir confiance en soi, il est important de ne pas avoir été élevé à coups d'injonctions, de disqualifications, de chantages, de comparaisons ou de culpabilisations, mais plutôt au sein d'une relation permettant et favorisant l'échange dans la réciprocité, la tolérance vis-à-vis de vécus différents, l'apposition et la confrontation plutôt que l'opposition et l'affrontement – une relation autorisant l'alternance des rapports de force ouvrant sur le dialogue.

On m'a souvent demandé : « Vous dites que la source de l'amour est l'amour de soi, mais quelle est alors la source de l'amour de soi ? » Les sources de l'amour de soi sont multiples et universelles :

• l'amour reçu, quand il est de bonne qualité, c'est-à-dire quand il n'est pas l'enjeu d'un troc affectif, d'un conflit de fidélité, et qu'il n'est pas dévoyé par de la culpabilisation sacrificielle ;

• les gratifications et les confirmations que nous engrangeons lorsque nous faisons des expériences positives, ainsi que les relations au sein desquelles nous nous sentons accepté de façon inconditionnelle, sans être jugé ;

• la valorisation de nous-même lorsqu'elle nous est offerte sans complaisance et qu'elle est chaleureusement confirmée à l'occasion de nos réussites ;

• l'élan de vie ou la _vivance_ qui nous traverse quand le divin qui est en nous devient un appel nous portant à l'accomplissement de nos possibles.

Toutes ces expériences favorisant l'amour de soi peuvent avoir été vécues avec d'autres personnes que nos parents : grands-parents, amis, voisins, professeurs, thérapeutes… Retrouver la trace intérieure de ces souvenirs précieux, pour se relier au bon que nous recelons, est un beau cadeau à se faire.

Aimer l'autre et aimer être ce que l'on est en aimant l'aimé(e), deux conditions qui ne sont pas toujours remplies…

Quand l'amour n'est plus
qu'un remède contre la solitude

L'amour semble aujourd'hui en difficulté. Chez les hommes, comme chez les femmes, il a du mal à s'épanouir, à révéler toutes ses possibilités. L'amour est devenu l'objet de nombreux enjeux qui le malmènent et parfois même le détruisent.

L'amour a longtemps été le support du rêve, de l'évasion, des belles actions, le justificatif de conduites nobles et héroïques. Il a été la voie royale pour l'entrée dans la sexualité. Pour beaucoup, l'amour a été l'élément déclencheur de la créativité et fut ainsi à l'origine de nombreuses œuvres d'art.

Aujourd'hui, il semble le plus souvent associé à la recherche de sécurité. Il est devenu un antidote à l'angoisse de la solitude, vécue comme injuste et frustrante. L'amour est réclamé, voire exigé pour masquer l'incapacité et la souffrance à se supporter soi-même !

La solitude vient de loin en nous. Elle est présente dès le séisme occasionné par la première séparation : la sortie du ventre. Durant les émois des premières années, quand nous sommes encore proche de notre mère, la solitude originelle reste en sommeil. Mais nous engrangeons alors d'autres vulnérabilités qui nous laisseront des séquelles et resurgiront dans les demandes d'exclusivité et de fidélité que nous adresserons ultérieurement à l'être aimé. Tout cela rendra difficile la progressive démystification du couple maman-enfant, bien qu'elle soit nécessaire. Qui plus est, si nous avons du mal à nous séparer de notre mère, nous éprouverons plus tard bien des difficultés quand nous songerons à construire un couple, et surtout à l'inscrire dans la durée.

Tout couple qui dure trouve son équilibre entre les forces de cohésion et les forces d'éclatement. Une relation qui veut rester épanouissante pour chacun et résister à l'usure du temps sera confrontée à cette recherche d'équilibre. Ainsi le désir de liberté, qui sommeille, voire s'agite en chacun, même s'il se construit sur une sécurité intérieure et reçoit le soutien de l'autre, renvoie inévitablement à la solitude qui s'exprime dans ce témoignage : « Toute ma vie j'ai senti que la solitude me guettait. Au début je la recherchais. J'avais avec elle une relation satisfaisante. Je faisais cohabiter harmonieusement intimité partagée et intimité réservée. Puis, avec l'âge, la disparition de quelques amis qui étaient des repères ou des relations balises, j'ai senti que nous sommes irrémédiablement seul, pour affronter non seulement le grand mystère de l'au-delà, mais aussi quelques-unes des énigmes de notre histoire personnelle… »

Quand l'amour est utilisé comme une défense contre l'angoisse d'être seul ou comme une réponse urgente au besoin d'être aimé, je crois qu'il n'est pas réellement aimé. Nous n'avons pas à proposer à l'autre d'être un compagnon de solitude, mais un partenaire pour une vie d'échanges, de partages et de découvertes mutuelles.

La pire des solitudes, faut-il le redire, n'est pas d'être seul : c'est de s'ennuyer en sa propre compagnie, d'imposer parfois cet ennui à tout son entourage et de stériliser ainsi l'amour qui ne saurait résister à ce traitement.

L'amour ne doit pas être utilisé comme un remède à la solitude, mais comme un soleil propre à faire éclore en chacun le meilleur de lui-même.

Empreintes relationnelles

Chacun de nous est semblable à un immense champ sur lequel se dessinent une multitude d'empreintes relationnelles. Les unes ont été déposées intentionnellement par des proches et des moins proches, les autres imposées par les mêmes personnes avec la plus parfaite inconscience. Certaines nous ont été transmises au moment de notre conception. Elles s'articulaient généralement à un désir ou à un rêve. D'autres encore se sont inscrites durant la gestation ou pendant les premières années de notre vie. Elles sont nées de peurs, de supputations, d'espérances, de croyances. Je ne voudrais pas oublier les plus anciennes, les plus cachées peut-être, qui nous viennent de nos ancêtres et circulent ou resurgissent de façon plus ou moins aléatoire sur plusieurs générations. Mais je ne voudrais parler ici que des empreintes que j'appelle « relationnelles » : celles qui nous ont été transmises dans le cadre de nos relations avec les personnes significatives de notre vie au travers de messages formels (missions, obligations, interdits) énoncés explicitement ou, le plus souvent, implicitement ; ou de messages davantage informels, plus voilés, de nature infra ou supra verbale, mais qui laissent cependant autant de traces.

Nous savons en effet qu'existent non seulement des messages clairement exprimés par des paroles, des gestes, des conduites, voire des comportements répétitifs ou une intentionnalité affirmée avec force, mais aussi des messages plus subtils et masqués qui s'avéreront tout aussi prégnants.

L'empreinte s'inscrira pour peu qu'un désir puissant, un besoin impérieux chez l'un tout proche, rencontre un terrain réceptif chez un autre. Tout se passe comme s'il fallait qu'existe un accord mystérieux, une sympathie entre le désir et le terrain d'accueil, pour qu'une empreinte se fixe et trouve son emprise. Cela permet de mieux comprendre pourquoi les enfants d'une même famille, qui sont susceptibles de recevoir des messages identiques, ne sont pas marqués, imprégnés de la même façon. La plupart des enfants captent différemment des désirs et des peurs que nous leur insufflons, et sont plus ou moins durablement stimulés par les incitations et les invitations, voire les ordres ou les menaces que nous leur adressons. Autant d'empreintes qui marquent leurs comportements, leur relation au monde et leur adaptation à la vie et aux autres en particulier.

Les messages s'imprègnent d'autant plus puissamment qu'ils sont émis très tôt et par des personnes significatives de l'histoire de chacun. La petite fille qui voit durant des années sa mère relever ses cheveux d'un geste las, au-dessus de sa vaisselle ou de son travail ménager, peut associer intérieurement, en pensée, les cheveux longs à la dépendance, au découragement, à l'exploitation ménagère. Plus tard, il se peut que ses cheveux courts soient l'expression triomphante d'un désir d'indépendance tenace. L'homme qu'elle aimera et qui lui demandera de se laisser pousser les cheveux ne saura pas qu'elle risque d'entendre sa demande comme une exigence insupportable, une tentative pour la soumettre et il s'étonnera de l'intensité qu'elle mettra à résister à son désir ou de sa réaction excessive.

L'empreinte qui s'inscrit ne dépend pas de l'énoncé du message mais du sens que nous donnons à ce dernier, qu'il s'agisse d'une parole, d'un geste ou d'un comportement. Ceux-ci nous marquent et s'imprègnent fortement en nous, car nous leur offrons un terrain réceptif à ce moment-là de notre existence. Rappelons-nous que c'est celui qui reçoit le message qui lui donne un sens et en précipite parfois l'effet.

Tel petit garçon remarque très tôt la façon dont son père se laisse servir à table, ne participe pas à la vaisselle, ne manque jamais le début du feuilleton télévisé, alors que sa mère s'oblige à anticiper les attentes de son mari, à se modeler à elles, à y répondre, ne regarde la télévision que lorsque la vaisselle est terminée, essuyée, rangée et qu'elle a noté qu'il faudra renouveler le liquide à vaisselle... Le message reçu par le garçonnet est double, il a le choix : soit il s'identifie à son père et mettra à son service ses sœurs et les femmes qu'il rencontrera dans sa vie, soit il s'identifie à sa mère et se rebellera, se révoltera contre toute tentative de diktat qu'il rencontrera dans ses relations intimes ou sociales.

La force et l'impact des messages qui s'inscrivent en nous seront d'autant plus efficaces qu'ils nous auront atteint à des moments de vulnérabilité ou dans des périodes de sensibilité particulière. La prise de nourriture, la toilette, l'habillage, l'avant-sommeil sont des moments de réceptivité latente durant lesquels tous les sens sont à l'écoute. Ce sont des moments sensibles au cours desquels les messages peuvent s'inscrire avec le plus de force : « Mais qu'est-ce que j'ai fait au bon Dieu pour avoir un enfant si maladroit ? », « Mais regardez-moi ça. On pourrait planter des choux dans ses oreilles, pas étonnant qu'il n'entende jamais ce que je lui demande de faire ! »

Et d'où vient la croyance de telle jeune femme à l'effet qu'avoir des désirs et surtout oser les exprimer, c'est risquer d'être perçue comme une femme facile, peut-être même comme une prostituée, sinon de l'inscription, en elle, des messages émis dans son entourage proche par le biais d'un commentaire, d'une réflexion banale, d'un jugement de valeur : « Oh ! celle-là, on voit bien qu'elle a le feu aux fesses pour oser insister avec autant d'assurance ! », « Une femme qui ne sait pas tenir ses jambes croisées, on sait tout de suite que c'est une gourgandine ! ». Ce mot de gourgandine avait navigué longtemps dans l'esprit de la petite fille qui avait bien senti qu'il n'est pas recommandable d'en être une !

« Ceux-là, rien qu'à voir leur façon de se tenir à table et de porter la cuillère à leur bouche, on voit tout de suite qu'ils viennent de nulle part ! » Les empreintes se divisent en deux familles principales. Celles qui autorisent, confirment, et celles qui jugent, obligent, voire interdisent. Les premières inscrivent une liberté d'être chez l'enfant, elles donnent un ancrage solide à la confiance et à l'estime qu'il a en lui-même et à son besoin d'affirmation. L'enfant sera porté par un courant positif qui lui permettra d'affronter l'imprévu et de traverser sans trop de mal les difficultés inévitables de la vie.

Les secondes sèment des doutes, des sentiments parasitaires d'angoisse, des menaces latentes, voire des blocages qui jalonneront toute la vie de l'enfant. Comment tel petit garçon peut-il s'autoriser à être joyeux, heureux, vivant s'il a entendu très tôt qu'il était un enfant de remplacement et qu'en plus il avait déçu au moment de sa naissance ! Comment pourrait-il, au vu de tous ses manques, remplacer le petit ange blond qu'avait été sa sœur aînée, décédée un an avant sa propre naissance ? Si un enfant voit les murs de l'appartement de ses parents couverts des photos d'un frère ou d'une sœur disparu et qu'il entend dix fois par an sa mère dire à la cantonade « Mais pourquoi c'est justement lui qui m'a été enlevé ? », il lui sera difficile de se sentir accepté et d'avoir réellement sa place dans la famille.

Une empreinte s'inscrit avec d'autant plus de force et a d'autant plus d'emprise qu'elle est reçue sur le terrain malléable, réceptif qu'offre le tout petit enfant : « Quand ton père a appris que tu étais un garçon, l'héritier tant attendu de la famille, le futur directeur de son usine, il a donné une prime de 500 francs à tous les ouvriers ! », « Après la mort de ma mère, mon père m'a confié quelque chose que j'ignorais jusqu'alors. "Ta mère avait insisté pour accoucher à la maison, m'a-t-il dit, et au moment même où tu es sorti de son ventre, les cloches de l'église voisine, Sainte-Marie, se sont mises à carillonner. Les premiers mots que ta mère a prononcés à ton endroit furent 'Je le consacrerai à la Vierge Marie'." Dix-huit ans plus tard, j'entrais au séminaire et je devenais mariste. Ce qui veut dire *consacré à Marie* ! Même si ma foi et mon engagement religieux se sont construits depuis sur d'autres bases, je peux m'interroger sur ma fidélité au désir de ma mère. Et peut-être mieux entendre aujourd'hui pourquoi j'ai défroqué à l'âge de 42 ans, l'âge auquel ma mère est morte. Si j'avais été un enfant fidèle à ma mère durant toutes ces années, il était temps que je devienne fidèle à moi-même ! » me dira ce prêtre qui a quitté la prêtrise pour devenir psychothérapeute !

Les messages, les injonctions que nous recevons avant ou après notre naissance se mêlent à d'autres empreintes beaucoup plus anciennes. Il arrive à certains enfants d'inscrire précocement en eux les dualités, les ambivalences, voire les conflits vécus dans le système familial d'origine : « J'ai toujours senti le rejet de mes grands-parents paternels à l'égard de ma mère. Tout au long de sa vie, ils lui ont reproché d'être née dans un milieu populaire, d'avoir en quelque sorte pollué la lignée ! Et moi, porteur du titre, après avoir fait Sciences politiques, je me suis engagé dans un cirque comme cracheur de feu et faux athlète briseur de chaîne… Le pseudonyme que j'avais choisi était Napoléon. Je me sentais l'usurpateur dans ma famille et je voulais leur faire payer toutes les humiliations qu'avait subies ma mère, en les rejetant. Des années durant j'ai mené une vie de sans domicile fixe, sans références, sans racines… » Mais cet homme, passé 40 ans, après avoir parcouru l'Espagne, l'Italie, le sud de la France avec un petit cirque famélique, est revenu au château, juste un an après la mort de ses grands-parents paternels, pour fonder une famille honorable avec un bon parti blasonné… Laissant sans état d'âme la compagne de ses années d'errance ainsi que les deux enfants de sa vie de bohème.

Les empreintes relationnelles, non seulement orientent les choix de vie de ceux ou de celles qui ont été marqués par elles, mais influencent également leurs descendants, parfois sur plusieurs générations, par le biais de ce que j'appelle la *communication transgénérationnelle*. Une forme de «fidélité» se met ainsi en place sur plusieurs générations, balisant l'existence de nombre d'enfants et de petits-enfants. Avant de retrouver mon géniteur, à 50 ans, je ne savais pas que son arrière-grand-père, son grand-père et son propre père avaient été sculpteurs de pierre, qu'ils avaient laissé sous forme de Monuments aux morts une quantité d'horreurs dans le sud de la France !

Les empreintes relationnelles peuvent se manifester au travers de comportements, de somatisations, voire de maladies récurrentes. Une femme médecin cessa d'être asthmatique à l'âge de 46 ans, après un voyage à Auschwitz où elle avait découvert comment les femmes et les hommes qui allaient être gazés, comme l'avaient été ses parents, collaient leurs bouches aux interstices des portes pour tenter de respirer quelques bulles d'air supplémentaires avant de mourir. Avait-elle entendu ce besoin désespéré et pathétique de survie, à travers l'espace et le temps, pour le répéter dans son corps avec autant de ténacité ? Son asthme lui était-il un repère nécessaire ou une autopunition pour avoir elle-même survécu ? Il n'y aura jamais de réponse formelle à cela. Tout un travail d'archéologie personnelle est nécessaire pour retrouver le sens de certains comportements répétitifs, pour pouvoir y renoncer et accéder à plus de liberté dans ses mouvements et ses engagements de vie.

La plupart d'entre nous découvrons un jour ou l'autre l'impact réel d'une empreinte relationnelle sur notre existence, quand nous en pressentons la présence et la force au travers d'une relation intime ou avec nos enfants. Il est rare de pouvoir accéder à sa propre libération sans démarche de conscientisation et de changement personnel. Il me paraît cependant possible d'accepter d'entendre que de tels messages circulent et s'inscrivent dans la préhistoire de chacun; et possible de penser que nous pouvons à l'occasion restituer à l'autre, l'émetteur, le message ainsi engrangé. Il me semble cependant qu'une empreinte ne se cicatrise jamais au point de s'effacer totalement, et qu'elle participe ainsi aux éléments fondateurs de l'existence.

Tout être humain naît inachevé, sa maturation en devenir le rend vulnérable, sensible, réceptif aux influences, aux marques de son environnement proche et significatif. La conquête d'un peu plus de liberté et d'autonomie passera aussi par la façon dont il se séparera, relativisera ou parviendra à atténuer l'impact des empreintes reçues.

Et puis les empreintes culturelles viendront recouvrir les empreintes relationnelles, faisant de chacun un terrain fertile et unique.

Nous pouvons aussi prendre conscience des empreintes dont nous marquons nos descendants et peut-être leur adresser un message de vie qui les en libérera à jamais.

De soi à l'autre, l'effet miroir...

Il m'arrive de rencontrer des personnes qui sont perpétuellement critiques et rejetantes, sans arrêt dans le négatif à l'égard d'autrui. Elles semblent incapables de donner leur accord ou de reconnaître le bon, le beau ou le bien-fondé d'une action, d'une réalisation, voire d'une simple conduite. Elles ne peuvent s'empêcher de disqualifier, de dénigrer, de porter un jugement de valeur négatif sur tout ce qui les entoure. Cette attitude alimente en fait une lutte intérieure permanente contre un sentiment de dévalorisation personnelle, contre un manque de confiance en soi-même. Tout se passe comme si le seul moyen de se valoriser à leurs propres yeux était de déconsidérer autrui: «Moi je suis quand même mieux que lui. Je vaux un peu plus que lui. Je n'aurais pas fait ce qu'il a fait, je n'aurais pas dit ce qu'il a dit...»

En pointant du doigt chez les autres un aspect qu'elles jugent négativement, ces personnes tentent désespérément de réparer les malaises, les doutes et les insuffisances qu'elles perçoivent en elles-mêmes.

Si celui qui fait l'objet de tels jugements ou commentaires se comporte comme s'il était réellement concerné et réagit en conséquence, c'est qu'il n'a pas perçu ce qui est en jeu dans le comportement de l'autre. Qui plus est, s'il se défend, il renvoie la personne qui le critique à ses propres doutes, à son manque de confiance en elle. Et en réaction, jugeant insupportable ce reflet d'elle-même, celle-ci renforcera son attitude...

Quand une personne parle de nous, elle exprime ce qu'elle ressent ou perçoit. Nous pouvons donc lui confirmer que cette perception est bien la sienne. Si nous réagissons, c'est qu'il y a un enjeu pour nous : nous nous sentons atteint. L'hygiène relationnelle consisterait alors à nous demander pourquoi les paroles ou les comportements de la personne nous touchent à ce point et surtout à quoi ils nous renvoient.

Après coup, nous pourrions aussi envisager de remercier la personne qui nous a choqué, irrité ou blessé pour l'éveil, la démarche de remise en cause, voire la conscientisation qu'elle a suscités en nous. C'est ce que me confirmait un ami : « Je suis reconnaissant à ma femme de m'avoir ouvert à cette écoute de moi-même. Par des comportements que je jugeais insupportables, inadmissibles et complètement déviants au début de notre relation, elle m'a amené à regarder des zones d'ombre de moi-même que je n'avais jamais explorées. »

L'effet miroir permet de mieux comprendre pourquoi tant d'hommes et de femmes choisissent des partenaires avec lesquels la relation va s'avérer inévitablement conflictuelle et déstabilisante. Comme si chacun, inconsciemment, cherchait à résoudre… chez l'autre des difficultés qui sont… en lui ! Malheureusement, dans la plupart des cas, le conflit ne produira ni progression ni évolution, chacun pensant que c'est le comportement de l'autre qui est inadmissible (refusant ainsi d'entendre ce qui est touché en lui) et que c'est à l'autre de changer !

« Le réel n'est jamais parfait, il présente beaucoup d'inconvénients, disait ma grand-mère, mais ce qu'il y a de bien avec lui, c'est qu'il est à portée de main et que je peux me lier à lui de différentes façons et peut-être, qui sait, l'influencer un peu… »

Un grand besoin de gratifications

Parmi nos besoins fondamentaux, il en est un qui est rarement comblé ou pris en compte par notre entourage proche : le besoin de recevoir des marques d'intérêt, de faire l'objet d'attentions, de se sentir valorisé. Le besoin d'être gratifié par des mots, des gestes, des commentaires positifs ou des appréciations bienveillantes quant à notre personne, à notre caractère, à nos actions ou à notre façon d'être, est un besoin important qui réclame d'être satisfait au quotidien et plusieurs fois par jour.

Ce besoin de gratifications masque souvent des doutes, un manque de confiance en soi. Il traduit en fait notre besoin d'être aimé : « Quand on souligne devant moi que les Italiens sont d'une politesse exquise ou d'un charme fou, j'ai le sentiment qu'on ne me reconnaît pas comme étant attentionné et surtout qu'on me voit comme un homme dépourvu de charme ! Sinon, pourquoi font-ils référence à des gens qui sont loin, en Italie, alors qu'ils ont justement devant leurs yeux quelqu'un de poli et qui peut avoir du charme si on lui en donne la chance ? », ou : « Quand ma belle-mère fait l'éloge des maris de ses deux autres filles devant moi qui ai épousé la troisième, j'ai le sentiment d'être un minable. Je ne l'ai jamais entendue exprimer quelque chose de positif sur moi ou émettre une quelconque appréciation valorisante sur ma personne. »

Dans le monde du travail, le besoin de confirmation positive est vital : « Mon patron ne voit que ce que je n'ai pas fait, il ne remarque jamais tout ce que j'ai fait ! », « Quand j'étais enfant et que j'avais eu 14 sur 20, mon père regrettait que je n'aie pas eu 16 ! Une fois, miraculeusement, j'ai eu 16, il a souligné que je n'étais que le second au classement général. Et lorsque j'ai réussi le bac avec la mention très bien, il a éprouvé le besoin de rappeler que je n'avais pas eu de prix au Concours général... »

Dans de nombreux couples, fait souvent défaut la générosité qui consiste à faire plaisir à l'autre en relevant, dans l'intimité ou devant des connaissances, sa réussite, ses succès ou ses qualités : « Nous sommes mariés depuis 22 ans et chaque fois je me laisse prendre. J'attends de lui un mot, une remarque, un remerciement pour ce que j'ai fait. J'espère toujours une confirmation pour tout ce que j'ai entrepris afin de lui faire plaisir ou en imaginant sa joie… Mais rien. Comme s'il ne voyait rien de mes performances, ou comme s'il lui paraissait impossible de voir quelque chose de bien chez moi… »

Il est en effet curieux de constater que beaucoup d'hommes (et de femmes) ont l'impression de ne pas être authentiques ou de se comporter comme des flatteurs quand ils font un compliment ou reconnaissent une qualité chez l'autre. La gratification est pourtant le carburant de l'énergie vitale qui liera deux êtres… dans la durée.

> **Ne jamais oublier un sourire, ne pas laisser se perdre un baiser ni s'égarer une caresse, sous peine de produire un vide dans l'univers…**

Avoir raison à tout prix

Souvent, quand nous ressentons quelque chose de manière intense ou en avons une impression forte, quand nous émettons une opinion qui nous paraît juste, quand nous traversons des moments particulièrement significatifs ou faisons une découverte qui nous semble majeure, nous éprouvons non seulement l'envie de partager, mais le désir de transmettre à l'autre les sentiments, les émotions ou les convictions qui nous animent.

À dose homéopathique, ce désir est encore recevable. Mais il devient pour certains si impératif qu'il se transforme en exigence ou en contrainte : « Je sais que cela débouchera sur un conflit, mais je ne peux m'empêcher de le faire ; chaque fois, j'essaie de la convaincre que c'est bon pour elle. Comme si je voyais une preuve d'amour dans son acceptation... », « Quand j'ai une idée, un projet que je pense bon pour lui, j'essaie de le persuader d'accepter, et c'est insupportable pour moi quand il refuse ! Alors, il accepte pour me faire plaisir, mais là aussi c'est inacceptable, car je voudrais qu'il accepte pour lui-même ! ».

Ces personnes tentent généralement d'obtenir de l'autre la réponse qu'elles souhaitent en posant des questions inductives. Mais comme elles ne sont jamais satisfaites, les répétitions et les excès se multiplient dans leurs demandes : « Tu as vu comme ce film était passionnant ? C'était beau, tu ne trouves pas ?
– Oui, mais enfin ce n'est pas le chef-d'œuvre décrit par la critique.
– Quand même, tu as vu ces images, cette musique, et le jeu des acteurs ! Moi je trouve ce film exceptionnel, tu n'as pas le même sentiment ? Je suis sûr que tu es d'accord avec moi. »

Il devient difficile d'affirmer autre chose ! Ces personnes attendent avec une avidité envahissante que l'autre partage leur point de vue : « Tu ne crois pas que l'on pourrait manger au restaurant ce soir ? », « Tu n'as pas l'impression qu'il y a des problèmes dans le couple de ton frère ? », « Tu n'as pas remarqué que tes parents me détestent depuis que j'ai refusé de leur laisser la petite aux vacances de Noël ? »

Bien sûr, ces personnes sont déçues, frustrées, parfois même en colère quand la perception, l'opinion, les sentiments de l'autre ne correspondent pas aux leurs. Vouloir avoir raison, outre le fait que cela traduit un besoin d'être valorisé par l'autre et, le plus souvent, une tentative de prendre le contrôle de la relation, de garder la position d'influence, conduit surtout à nier la différence, à refuser d'accepter la dualité au risque d'un affrontement, voire d'un conflit.

Dans certains couples, vouloir avoir raison tout en entretenant le leurre d'une bonne entente témoigne parfois de la difficulté à sortir de l'illusion de la fusion : « Si l'autre pense comme moi, c'est qu'il m'aime comme je l'aime ! », « Si elle est d'accord avec ce que je dis, c'est qu'elle a confiance en moi… », « S'il se range à mon point de vue, c'est qu'il a vraiment confiance en moi ! ».

Accepter la différence, c'est s'ouvrir à la confrontation et enrichir le partage. Le besoin d'avoir raison traduit la tendance de certains à entretenir et à développer des rapports dominants/dominés à leur profit…

**La secte la plus dangereuse est la secte du Moi.
Celle qui se nourrit de l'illusion de la toute-puissance
infantile que nous cultivons depuis l'enfance.**

Les livres de comptes... affectifs

Il s'agit de ces livres de comptes, tenus dans certains couples ou relations intimes, où sont soigneusement comptabilisés, sur la page de droite, « Tout ce que j'ai fait pour toi », et sur la page de gauche, « Tout ce que tu n'as pas fait pour moi ».

Ils sont tenus à jour avec une grande méticulosité par les partenaires conjugaux ou les compagnons de vie, le plus souvent à l'insu de celui qui les alimente. Certains, ne reculant devant aucun sacrifice, ont en plus un petit carnet où sera noté « Tout ce que tu aurais dû faire pour moi, si tu m'avais réellement aimé ! ».

Vient un jour où, au petit matin, après un geste ou une parole maladroite, celui, celle qui tient le livre de comptes s'écrie triomphalement : « Tu n'as pas changé. Tu es toujours le même. Tu es aussi têtu que cette fois-là (il y a 10 ans...) quand tu n'avais pas voulu reconnaître que tu t'étais trompé de chemin, alors que c'était moi qui avais raison ! Vraiment tu n'as pas changé, tu n'en fais qu'à ta tête ! Comme la fois où je t'avais dit de ne pas faire confiance à ce vendeur de voitures, mais non, tu as quand même voulu acheter cette folie, et trois mois après c'était une réparation de 50 000 francs ! Et qui a payé ? C'est moi ! la bonne poire... »

J'ai moi-même été stupéfait quand celle avec qui je partageais ma vie à ce moment-là s'est exclamée, en réponse à mon invitation de faire un détour de quelques kilomètres pour aller voir un ami proche : « Ah ! non alors, je ne vais pas t'accompagner chez ton copain, faire un détour de 10 kilomètres sur le chemin des vacances, alors que toi, il y a 15 ans, tu as refusé de faire 5 kilomètres de plus pour que je puisse embrasser ma sœur ! »

Ainsi découvrez-vous avec un étonnement non simulé et un peu d'admiration (voilée d'amertume) que votre partenaire a une véritable mémoire d'éléphant, que ses comptes sont incroyablement détaillés : pas un seul reproche, pas une seule déception ou accusation ne manque. Vous vous apercevez que vous vivez sans le savoir avec un être à l'œil aigu, aussi avide que celui d'un nouveau-né à qui rien n'échappe !

Vous avez quand même du mal à croire que votre bien-aimé(e) a su maintenir ainsi au chaud et durant tant d'années des ressentiments, des rancœurs, des accusations triomphalistes, autant de reproches non digérés, liés à un petit refus de votre part, à un oubli sincère, à une maladresse involontaire, voire, pourquoi pas, à un reste de pingrerie que vous tenez de votre mère et auquel vous êtes attaché (pas à la mère, à la pingrerie !) : « C'est bien toi qui m'avais presque obligée à rester dans le wagon de première pour être près de toi. Tu te rappelles, c'était la première fois que nous partions ensemble. Je n'avais qu'un billet de seconde et quand le contrôleur m'a imposé une amende de 200 francs, tu n'as même pas proposé de la régler pour moi ! On venait de faire l'amour pour la première fois, deux heures avant. Tu étais si pressé ! Je m'étais donnée à toi corps et âme, et toi qui voyageais toujours en première et qui savais mes difficultés, tu m'as laissé payer… Ça, tu vois, je l'ai toujours en travers de la gorge. » Elle l'a tellement en travers de la gorge qu'elle n'hésite pas à tousser pour montrer combien il a été, lui, cruel et inconscient ! Elle n'ajoute pas : « Depuis, tu vois, chaque fois que nous faisons l'amour, je repense à cela ! », mais il peut le lire dans ses yeux et comprendre ainsi l'origine de la monotonie de ses ébats amoureux !

Les livres de comptes affectifs sont pour celui qui les tient un compagnon fidèle, rassurant, extrêmement obligeant. Comment sont-ils tenus à jour, à quel moment sont notés ces « petits riens » qui vont devenir de « vrais quelque chose », je ne le sais pas. Ils servent surtout à soutenir l'accusation et la colère quand celles-ci mollissent, fatiguent, auraient tendance à se désamorcer : « Et en plus je pourrais te dire tout ce que moi j'ai fait pour toi durant toutes ces années de vie commune. Toi, j'en suis sûre, tu ne t'en rappelles même pas du dixième ! »

Dans ces livres de comptes sont surtout relevées les frustrations et les déceptions liées à des demandes. La pire des frustrations, la reine des déceptions est généralement due à une demande implicite, qui n'a jamais été exprimée, mais dont votre partenaire pense que vous auriez justement dû l'entendre, voire la combler : « Je sais, je ne t'ai rien demandé ce soir-là, mais j'aurais aimé que tu y penses, que tu m'invites de toi-même sans que j'aie besoin de le dire, que tu devines que j'en avais envie. »

Dans les livres de comptes affectifs, ce n'est pas tant la réalité du fait qui importe mais l'intention maligne, blessante, prêtée à l'autre. En fait, il existe une sorte d'autodisqualification (insupportable) de soi-même qui ne peut trouver réparation que dans la critique de l'autre.

Ainsi certains couples (pas le vôtre !) amassent-ils au cours des ans un solide contentieux qui sera libéré ou explosera dans les moments les plus inattendus de la vie ; le plus souvent quand il y aura un public, car celui qui tient le livre à jour a besoin de témoins pour valider la justesse de ses reproches ou de ses accusations et montrer à tous que l'homme (ou la femme) avec qui il vit ne mérite pas d'être aimé, admiré, voire fréquenté.

Certains lecteurs se demanderont peut-être qui oserait être assez puéril ou sordide pour tenir une telle comptabilité. Vraiment, qui aurait une telle faiblesse dans un couple où ne devrait se partager que de l'amour ? Je les laisse chercher autour d'eux et en eux…

Si je permets que s'accumulent des ressentiments, des reproches, des accusations dans une relation intime, j'engrange des toxines redoutables, dangereuses tant pour la relation que pour moi-même.

La culture de l'image de soi

Nous avons tous, en référence ultime, une image de nous-même que nous aimerions voir partagée par les autres, tout au moins ceux que nous aimons ou qui prétendent nous connaître. C'est un peu comme si nous leur envoyions le message suivant : « Tu dois me voir tel que je me vois ! »

Tel, qui se voit comme quelqu'un de serviable, d'aimable, de disponible, serait étonné de découvrir que les autres n'ont pas du tout cette image de lui et le perçoivent plutôt négativement : comme un benêt qui se fait tromper par n'importe qui, ou comme quelqu'un qui cherche à se faire bien voir !

Telle femme qui se trouve « moche », sans intérêt et pense qu'elle est incapable d'attirer une marque d'attention de la part des hommes serait stupéfaite de découvrir qu'elle est perçue comme désirable mais... inaccessible, voire arrogante !

L'image de soi est constituée de toutes les représentations de nous-même que nous avons accumulées en nous durant les périodes significatives de notre vie à partir des reflets, parfois des étiquettes, que nous ont renvoyés les personnes importantes de notre entourage.

Une grande partie de nos comportements ne sont pas des réponses à la réalité d'une situation, mais autant de manières de renforcer et de nourrir l'image de nous-même telle que nous voulons qu'elle soit perçue par les autres. Et certaines de nos conduites trahissent toutes les luttes intérieures que nous menons pour nier la partie de notre image qui ne nous convient pas !

Ainsi, je peux faire la guerre à mon fils pour qu'il ne sorte pas de la maison sans mettre un cache-nez ou un imper, non parce que je pense qu'il aura froid ou qu'il sera mouillé, mais parce que j'imagine que mes voisins vont penser que je suis une mauvaise mère (ou un mauvais père) si je laisse mon enfant jouer dehors aussi peu couvert par un temps pareil ! Mon intervention alimente l'image de la bonne mère (ou du bon père) que je souhaite que les voisins aient de moi !

Nourrir, alimenter la bonne image de soi peut devenir une activité à plein temps qui entretient de nombreux malentendus et nous coupe à la fois de notre être profond et de la réalité dans laquelle nous vivons.

À trop proposer des échanges boomerang, dans lesquels ce que nous donnons en abondance doit nous revenir pour alimenter la bonne image que nous avons de nous-même, nous risquons de stériliser la plupart de nos relations.

« Les autres ne me voient pas tel que je suis ! »

Souhaitant sentir que l'autre partage l'image que nous avons de nous-même, nous avons tendance à imaginer que c'est chose faite, que l'autre, voire notre entourage, nous perçoit sans déformation.

Mais il peut se trouver que la personne qui nous fait face ne nous perçoive pas comme nous nous voyons. Parfois, le décalage est si grand que cela nous étonne, nous irrite, nous blesse, voire nous déstabilise. Des ajustements par rapport à ce que nous percevons et ressentons naturellement sont alors nécessaires, en particulier dans les relations intimes. Cette différence entre nos perceptions et celles de l'autre peut paraître insupportable à certains moments : « Tu me dis que tu ne peux pas me faire confiance, alors que moi je me sens au contraire très fiable. Tu ne me vois vraiment pas comme je suis », pourrait dire un homme. « Tu prétends que je fais toujours des histoires, que je suis compliquée, alors que j'ai le sentiment d'être claire, sans ambiguïté et particulièrement conciliante », pourrait affirmer une femme.

Un certain Alphonse Kass (dont j'ai relevé une citation dans un livre sans savoir de qui il s'agit) disait : « Chaque homme a trois caractères : celui qu'il a, celui qu'il montre, celui qu'il croit avoir. »

Beaucoup d'entre nous sont à la recherche d'une unité qui réconcilie-rait la propre image qu'ils ont d'eux-mêmes et celle qu'autrui a d'eux… Nous voudrions tellement que les autres soient en accord avec nous ! Nous désirons, surtout avec des êtres aimés, pouvoir réunifier ces trois aspects de nous : ce que nous sommes, ce que nous montrons, et com-ment nous voudrions être perçu. Que notre personne forme un tout et puisse être accueillie, acceptée et aimée inconditionnellement dans chaque partie de ce tout !

Il nous appartient d'accepter les différences mais il nous revient aussi de nous interroger quand le fossé est trop grand entre la manière dont nous nous sentons et la façon dont nous sommes perçu. Nous devons avoir conscience des risques qu'il y a à rester flou, à créer tant de con-fusion et à susciter tant de projections autour de notre personne…

Je ne suis pas toujours qui je suis.
Qui en moi sent cela ?
Qui se sent frustré, incompris,
menacé, aimé ou séduit ?
Qui veut être aimé, valorisé,
gratifié, sécurisé ou ignoré, rejeté ?

Être reconnu et aimé tel que je suis...

Parmi nos besoins relationnels fondamentaux, besoins de se dire, d'être entendu, de se sentir valorisé, le besoin d'être reconnu et aimé tel que je suis, tel que je me vois, semble être un des plus vitaux. Dès le début de notre existence nous l'éprouvons vis-à-vis de nos parents et des personnes significatives de notre entourage. Le sourire radieux, le regard ébloui, le son de la voix de maman ou de papa nous confirment que nous sommes important, précieux, chéri... Par la suite, d'autres signes nous conforteront dans ce sentiment.

Mais cela ne se passe pas toujours ainsi. Nous avons parfois déçu : attendu comme garçon, nous sommes arrivé fille. D'autres fois, nous avons été remplacé, délogé par un nouveau venu. Ou nous sommes arrivé au plus mauvais moment de la vie du couple, quand l'un de nos géniteurs envisageait une séparation par exemple ; nous avons alors représenté une gêne, un poids.

Bref, les marques de reconnaissance et d'amour, tellement souhaitées, n'arrivent pas. Et pour peu que nous ayons des professeurs ou un entourage peu gratifiant, nous risquons de devenir des affamés avides de combler tous ces manques premiers. Voire de revendiquer ces manques et les signes ou les manifestations qui pourraient y pallier. Un paradoxe s'installe alors et risque de se cristalliser dans un malentendu sans fin : nous nous mettons à attendre des manifestations de reconnaissance justement de la part de ceux qui ne peuvent ou ne veulent pas nous les donner. Un cercle vicieux se met ainsi en place, d'autant plus pervers que même si nous recevons des marques d'attention et d'amour d'autres personnes, celles-ci nous paraissent sans valeur car elles ne viennent pas de ceux qui devraient, dans notre esprit, nous les donner : « Je reçois beaucoup de marques de reconnaissance de la part de mon entourage tant sur le plan personnel que professionnel, mais c'est de papa et maman que j'attends un signe, une attention particulière… qui ne vient jamais ! L'essentiel de mes conduites, de mes engagements est conditionné par ce besoin impérieux, absolu, impérialiste. Ils devraient m'aimer et me le manifester, je suis leur fils quand même. Ils devraient arrêter de me disqualifier ou de m'ignorer. »

Il est quasiment impossible de faire percevoir à cet homme que son père et sa mère, pour des raisons, des enjeux complexes, conscients ou inconscients, ne pourront pas lui donner cet amour et cette reconnaissance tant attendus, car les sentiments ne se commandent pas – c'est pour cela que, parfois, le « senti-ment » !

J'entends déjà s'écrier ceux qui pensent que je ne crois pas au changement, à l'évolution des personnes et à l'amélioration de leur comportement. Ma croyance est autre : je pense qu'il existe des dynamiques relationnelles qui sont piégées à jamais, car l'amour ne se commande pas : il ne peut ni être imposé ni faire l'objet d'une injonction intime. De plus, j'estime qu'il appartient à chacun, devenu adulte, de prendre soin de ses besoins, y compris celui d'être reconnu et aimé. Sans cela, risque de se perpétuer un cercle vicieux sans fin, dans lequel nous attendons, demandons et même exigeons de quelqu'un une manifestation d'amour, sentiment que justement il n'éprouve pas, et de plus nous lui en voulons de ne pas l'éprouver ! C'est ce qui fait mieux comprendre combien parfois nous violentons ceux à qui nous réclamons une marque d'affection qu'ils devraient dans notre esprit nous donner… gentiment !

Plus je m'occupe et je prends soin de mes besoins, moins j'ai besoin de nourrir mes manques.

À qui faire confiance ?

« Quand j'étais petite, j'avais l'impression que ma mère ne m'aimait pas. J'avais même le sentiment qu'elle me détestait. Oh ! rien dans son comportement ne me permettait de l'affirmer, elle était aussi sévère avec mes frères qu'avec moi. Mais je la sentais glaciale quand elle m'appelait ou venait vers moi. Je ne me sentais pas en sécurité, je doutais.

« Quand j'étais petite je sentais tout plein de choses que je croyais être la seule à percevoir. Les adultes autour de moi prétendaient que ma mère était quelqu'un de bien, une femme "remarquable", quelqu'un de "méritant". Ils la voyaient comme une femme belle, intelligente, presque parfaite, une mère exemplaire en somme. Autour de moi on disait que toutes les mères aiment leurs enfants, que c'est comme ça, normal.

« Mais tout au fond j'avais peur et quelque chose en moi me disait que ma mère ne voulait pas de moi, que j'étais une gêne permanente pour elle, que je n'aurais pas dû exister, que je lui rappelais quelque chose dont elle ne voulait pas se souvenir. Elle me l'a d'ailleurs dit très tôt, mais à l'époque, je ne l'entendais pas : "J'ai fait deux erreurs irréparables dans ma vie : me marier et tomber enceinte."

« Je croyais que ce que je sentais était mauvais, que j'étais une mauvaise fille. Que si je doutais de ma maman si bonne aux yeux de tous, c'est que j'étais vraiment vilaine, quelqu'un de méprisable, de peu aimable pour avoir de telles pensées…

« Aussi ai-je commencé à douter de moi, de ce que je ressentais. Je me disais que ce qui m'habitait était faux, que ce que j'éprouvais n'était pas juste, pas bon. J'ai même fini par croire que mes sensations me venaient d'ailleurs, que j'étais folle…

« Alors j'ai fermé mon cœur à tout ce qui n'était pas visible, logique, tangible. J'ai fait de mon mieux pour devenir ce que je croyais qu'on voulait que je sois, sans trop savoir d'ailleurs ce que cela pouvait être exactement. J'ai étouffé tout ce que je ressentais pour devenir quelqu'un de bien, une "petite fille tout à fait comme il faut". Et puis ma mère est partie, quittant mon père et me laissant avec lui. Là encore, j'ai cru que c'était de ma faute, que je n'avais pas été comme il faut, que j'aurais dû mieux me comporter. J'avais 12 ans. Pour réparer mes manques, j'ai pris en charge mon père, j'ai voulu lui donner tout ce que ma mère ne lui avait pas donné.

« J'ai fonctionné ainsi durant 25 ans, avec ma tête seulement, me méfiant de moi-même et de ce que j'éprouvais, tentant d'être rationnelle, intelligente, compétente face aux attentes des autres.

« Quand j'ai commencé une psychothérapie, j'ai découvert que ce que je sentais pouvait être vrai, que j'étais tout à fait capable de faire des choses positives, bonnes pour moi et pour les autres. Cette psychothérapie fut un travail de mise au monde, de renaissance, de réconciliation avec moi-même : pour accepter l'idée que je suis quelqu'un de bien, me reconnaître et pouvoir me dire que ce que je ressens n'est pas mauvais, mais est acceptable, respectable, estimable… »

Je crois que cette femme pose des questions vraies, au sens de justes pour elle.

La confiance que l'on s'accorde à soi-même est plus fiable et plus durable que celle qui nous est offerte.

« Docteur, j'ai peur ! Docteur, j'ai mal... »

La première séquence se passe la plupart du temps dans un hôpital ou une clinique, et en général avant ou la veille d'une opération chirurgicale :
« Docteur, j'ai peur, j'ai peur de ne pas me réveiller...
– Mais non, vous allez voir, ça va aller, tout se passera bien. »
Le médecin qui fait cette réponse passe-partout est en général pressé mais plein de bonnes intentions. Il pense rassurer, il n'entend pas que la personne veut être écoutée dans ce qu'elle ressent. « J'ai peur », cela veut dire ici : « Je voudrais que vous reconnaissiez que j'ai peur. Je vous demande de ne pas nier ma peur tout de suite, ni de tenter de la minimiser voire de la banaliser en me disant : "Tout le monde a un peu peur avant une opération", ou bien "Vous savez, j'en opère 10 comme vous chaque semaine !" »

Le malade que l'on va quitter, un patient qui attend, un futur opéré, tentent tous de capter un peu d'attention, une écoute particulière et non pas une écoute « en conserve » et des réponses stéréotypées. Il n'est pas très compliqué d'oser reprendre ce que l'on a entendu pour ouvrir un échange : « Vous avez peur. Vous pouvez m'en dire un peu plus sur ce que vous ressentez ou ce que vous imaginez autour de cette peur ? »
– en se rappelant que celui qui parle veut être entendu, seulement entendu dans le registre où il parle.

La seconde séquence se déroule en général dans les heures ou les jours qui suivent une opération :

« Docteur, j'ai mal, si vous saviez comme j'ai mal, je ne pensais pas que ce serait aussi douloureux ! » Là aussi les réponses passe-partout ou en conserve fusent quasi automatiquement : « C'est normal ! Mais non, vous êtes encore protégé par l'anesthésie, vous ne devriez pas avoir mal… Vous allez voir, ça va passer. Allez, un peu de courage, vous n'êtes plus un enfant… » Dans ce cas aussi, celui ou celle qui a mal a besoin d'entendre qu'il est entendu, simplement entendu. Peut-être aussi veut-il être rassuré et se voir proposer une option alternative, une échéance à la douleur.

Ainsi s'accumulent, dans des moments sensibles, alors que la vulnéra-bilité est à fleur de peau, des frustrations, des tensions qui pèsent encore un peu plus lourd sur un moral défaillant.

La principale demande de celui, de celle qui est dans le désarroi est d'être reçu, d'avoir le sentiment que ce qu'il a dit est bien arrivé jusqu'à l'autre. De sentir une disponibilité se traduisant non seulement par la présence physique, mais par la qualité du regard et la focalisation de l'écoute de son interlocuteur vis-à-vis de ce qu'il vit, ressent, éprouve, ou par un geste d'apaisement personnalisé qui tienne compte de sa réalité subjective, si présente, si dense, si réelle pour lui.

Écouter ne signifie pas croire.

La pudeur

Parmi toutes les lois non écrites qui régissent la vie d'un être humain, il en est une qui s'apprend au travers d'un conflit intrapersonnel : la pudeur.

J'avais six ans, l'année de la grande école, et un matin, dans le rang où nous étions deux par deux avant de rentrer en classe, j'ai dit à mon meilleur copain, que je connaissais depuis deux jours, avec une voix qui a résonné dans tout le préau : « Je t'aime ». Il s'appelait Antoine, c'était mon ami depuis la rentrée. Il m'avait demandé, le deuxième jour, si je voulais jouer avec lui. Vous vous rendez compte ! J'étais devenu quelqu'un d'important puisqu'il voulait jouer avec moi. Depuis ce jour, je lui vouai une reconnaissance absolue, sans limites, et mon affection pour lui ne cessa de croître. D'où mon « Je t'aime », qui voulait lui confirmer qu'il pouvait compter sur moi, que j'étais moi aussi son ami. Il a rougi, détourné la tête, fait semblant de ne pas entendre ou de croire que cette déclaration ne s'adressait pas à lui. La maîtresse discutait avec sa collègue et le rang commençait à s'agiter. Je répétai : « Antoine, je t'aime. » Il se tourna violemment vers moi, me bouscula et, la bouche mauvaise, le regard dur, il a dit : « T'es fou ? T'es pas bien, non, de m'insulter devant tout le monde ! On ne dit pas des trucs comme ça, pour qui tu me prends ? »

Je découvris ce jour-là qu'on ne peut dire ses sentiments à n'importe qui, ni n'importe comment. La pudeur venait d'entrer dans ma vie.

Plus tard, j'ai réalisé que certains sentiments doivent rester voilés et peuvent se réserver pour mieux se donner dans l'abandon d'une intimité. J'appris à ne pas les offrir impunément, mais à créer un temps propice pour en révéler l'essence et la profondeur.

La pudeur a de multiples visages. Nous n'avions pas de salle de bains, et quand ma mère me « lavait en grand » dans la cuisine, ma pudeur se débattait contre la simplicité et l'évidence de ce commandement. Se laver en grand voulait dire se plonger tout nu dans la lessiveuse, opération qui se répétait tous les mercredis et les samedis soir « pour être propre comme un sou neuf », disait-elle. « Propre pour le jeudi, le jour des enfants, et le dimanche, le jour du Seigneur. » Cette fameuse lessiveuse était installée dans la pièce qui servait à la fois de cuisine et de salle à manger, mais dont la porte principale donnait sur le jardin commun à tout l'immeuble. Même si c'était un tout petit bâtiment de six logements, il y avait du passage et la situation présentait un risque : celui de l'irruption de l'une ou de l'autre des voisines qui pouvait surgir au moment le plus important de l'événement, quand ma mère me lavait le possible et l'impossible : « Il ne faut jamais oublier de se laver l'impossible, disait-elle chaque fois, devant et derrière... » Bien avant l'épreuve, je disposais deux chaises en écran, sur lesquelles je tentais de disperser mes vêtements et des serviettes, pour créer un obstacle, un coupe-regard, entre la porte d'entrée et ma nudité trop vulnérable.

Ma pudeur fut violentée avec une brutalité inouïe un jour de 1943, quand un groupe de grands gaillards, avec des bérets noirs ou verts, je ne sais plus, larges comme des tartes et qui débordaient de chaque côté de leur tête, envahirent notre école : « Ce sont des miliciens, ils sont avec les Allemands... » chuchotaient les plus grands. Ils venaient dans toutes les classes vérifier le sexe de chaque garçon : « Ils veulent savoir si t'es juif ou si tu es normal », assura le grand Bébert, qui savait tout parce que son père était communiste « et que les communistes ils ne s'en laissent pas conter, eux ! ». Cela se passa au fond de la classe, dans le coin du poêle, nous étions en novembre. Il fallait baisser son pantalon et même son slip et montrer son sexe à un type qui ajustait chaque fois ses lunettes pour mieux voir : « Bon, ça va, toi t'es français, mais tiens-toi tranquille. On t'a quand même à l'œil ! » Arrivé devant moi, il s'écria triomphant : « En voilà un, on n'aura pas perdu notre temps... »

L'instituteur laïque s'interposa : « Je vous assure qu'il est catholique, il a fait sa première communion, il va au catéchisme. Ce que vous voyez là, c'est un phimosis qu'il a eu, vous savez bien quand même ce que c'est, un phimosis !

– C'est ce qu'ils disent tous, mais on verra bien. S'il a été baptisé après 1940, phimosis ou pas, il est bon pour le grand départ ! »

J'avais été baptisé en 1935, mais j'avais été effectivement opéré d'un phimosis en 1938 ! Ouf ! j'étais sauvé, j'étais quand même un Français presque normal ! Mais j'avais bien senti un vent d'une violence inouïe souffler très près de moi. Ce jour-là, non seulement ce fut ma pudeur qui fut bousculée mais aussi une sécurité intérieure que je n'ai jamais retrouvée.

« L'amour est un sentiment
dont on ne devrait parler qu'avec les yeux. »

Le respect de l'intimité... de chacun !

Certains enfants, certains adultes semblent méconnaître les besoins d'intimité, de silence, de quiétude de leur entourage proche.

Apprendre le respect de l'intimité me semble être une priorité à développer assez tôt dans l'éducation d'un enfant. Mettre un minimum de vêtements pour se déplacer dans la maison, frapper à la porte de la chambre parentale ou de la salle de bains avant d'entrer, fermer la porte des toilettes, pouvoir exprimer son désir de ne pas être dérangé pendant un temps de lecture ou un moment de rêverie personnelle, ne pas être interrogé chaque fois que l'on s'absente... et tant d'autres choses importantes à rappeler, à préserver !

L'intimité est à la fois un espace et un temps dont chacun a besoin, essentiellement pour pouvoir se rencontrer, pour pouvoir échanger avec lui-même. Un temps et un espace permettant à chacun de prendre soin de lui, de sa propre intimité.

Le respect de l'intimité, c'est aussi ne pas assaillir l'autre par des questions intrusives : « Où étais-tu passé ce matin, tu as quitté la maison bien précipitamment ? », « Qui est-ce qui t'écrit là ? Depuis plusieurs jours, je vois arriver beaucoup de courrier te concernant ? », « Tu as une trace de rouge sur ta joue, c'est ta copine qui t'a embrassé ? »

L'intimité est une zone qui doit être protégée de l'ingérence des autres. Elle est balisée par une sorte de bulle à diamètre variable qui nous entoure, définit des limites implicites et nous protège. Chacun d'entre nous non seulement a droit à un jardin secret, constitué par son imaginaire et par tout ce qui gravite autour de ses rêves, de ses attentes, de ses désirs personnels, mais aussi à une attitude de respect de la part de l'autre. Nous nous attendons implicitement à ce que l'autre sente qu'il ne doit pas intervenir, poser de questions ou faire irruption quand nous sommes en dialogue avec nous-même ou engagé avec quelqu'un d'autre. Qu'il n'a pas à violenter notre silence ou notre rêverie en nous demandant : « Mais à quoi penses-tu ? » ou « Que dites-vous ? »

Le téléphone est un bon exemple : si une personne autre que celle que j'appelle, un membre de la famille par exemple, décroche et me demande : « C'est de la part de qui ? », je réponds : « Je vais le lui dire moi-même si vous voulez bien me le passer ! » Je considère que celui qui répond au téléphone prend la communication pour lui ou ne la prend pas, qu'il n'a pas à intervenir dans une relation qui ne le concerne pas.

Il appartient à chacun d'entre nous de protéger son intimité en ne dévoilant pas n'importe comment ni à n'importe qui ce qui l'habite, ce qui est important pour lui. Respecter son intimité est un beau cadeau que l'on peut se faire à soi-même et par là même aux autres, surtout à ceux avec qui nous la vivons.

Le levain de la liberté, c'est le respect de la vie en soi, chez autrui et dans la nature.

« C'est mon chien qui m'a appris l'amour »

J'ai entendu cette phrase chez une personne proche à qui, vers la quarantaine, une personne bien intentionnée avait offert un chien, un terrier irlandais d'une très grande gentillesse et surtout d'une politesse et d'un raffinement exceptionnels. Il s'appelait Pete, avec un nom à rallonges car il avait un pedigree impressionnant. Ce petit chien enjoué et grave s'était fortement attaché à sa nouvelle maîtresse. Celle-ci réciproquement, et au delà de son attachement, elle lui vouait beaucoup d'amour.

« C'est mon chien qui m'a appris à aimer dans le don le plus gratuit, celui qui consiste à s'offrir inconditionnellement, me raconta-t-elle un jour. Mon chien dispose de tout un ensemble de signes pour attirer mon attention, manifester son désir de sortir ou s'intéresser à moi. Quand je mange, si je coupe un morceau de viande ou de fromage, il s'assoit, cligne des yeux, et ne bouge pas un poil. Quand je lui présente un petit morceau d'aliment, il ouvre délicatement ses babines, ferme les yeux, et recueille la nourriture sans la happer ou la saisir, puis il mâche en me regardant avec reconnaissance. Mon chien m'a appris la reconnaissance.

« Il m'a aussi appris la constance, la fidélité, la valeur de l'engagement. Avant lui je me dispersais, je n'accordais pas beaucoup de valeur au déroulement d'une journée. Je vivais dans un désordre improvisé qui ne me coûtait pas, mais qui me décentrait. Avec lui, j'ai appris l'importance de la qualité d'un geste simple : préparer ses repas, lui verser de l'eau, l'étriller tous les matins, rire de ses grognements, lui passer son collier, enlever les épines sous le coussinet de ses pattes, l'amener au toilettage en m'étonnant chaque fois de la douceur de son poil…

« Il m'a aussi fait découvrir l'importance d'une relation suivie fondée sur quelques gestes répétitifs, adaptés à son rythme. Je lui procure une grande sécurité intérieure et il me la rend. Je lui parle avec beaucoup de gravité de moi, de la vie, et il m'écoute sans se lasser.

« Lorsque j'envisage de sortir, il le sent à quelques signes invisibles et commence à me suivre. Si je décide de le laisser, il me suffit de lui dire : "Tu restes là, je reviens", et il ne tente pas de me suivre, de forcer ma décision. Au retour, il m'accueille sans réserve avec un plaisir chaque fois renouvelé.

« Parfois, il me boude. Je le vois à la façon dont il cache sa truffe entre ses pattes et me tourne le dos. C'est que je l'ai déçu ou encore qu'il ne s'est pas senti entendu. Mais sa rancœur ne dure jamais, il n'y a pas de contentieux entre nous. Quelques caresses, quelques jeux de balle, quelques petits *mamours* et nous voilà heureux, simplement heureux mutuellement de constater notre présence, l'amour que nous partageons inconditionnellement. Je sais que je suis plus importante pour lui que qui que ce soit d'autre au monde. Et il sait qu'il est important pour moi. »

J'ai recueilli ce témoignage, pour en garder la trace, pour le préserver des dommages du temps, pour saluer ce Pete, chien fidèle et si présent.

Comme disait Chateaubriand :
« Il ne faut pas ménager son amour,
il y a tant de nécessiteux. »

De l'indignation au dialogue

S'il est des personnes qui veulent rester prudemment à l'abri sous le parapluie des apparences, des lieux communs, ou des évidences simplistes, il en est d'autres qui veulent savoir ce qu'il y a derrière ce qu'elles voient, qui veulent aller au delà de ce qu'on leur montre. Elles désirent accéder au sens des choses, entendre le message en deçà du discours, comprendre un peu plus que ce qu'on leur explique.

Ces personnes ne se contentent pas d'approuver, de digérer ce qu'on leur mâchouille à la télévision, à la radio ou dans leur vie quotidienne. Elles veulent entendre, comprendre, faire travailler leur esprit critique, bref elles désirent prendre leur place dans le vaste mouvement des idées.

Ceux qui prétendent savoir, ou qui se donnent le droit de nous informer, peuvent nous raconter ce qui se passe dans le vaste monde sous la forme d'une succession d'anecdotes, d'histoires ou de faits normaux. Chacun d'entre nous, téléspectateur fidèle, peut s'émouvoir devant l'image télévisée d'un enfant atteint d'une balle malgré la protection que lui offrait le bras de son père tentant de le garder vivant. Chacun peut se laisser entraîner à un flot de commentaires réactionnels devant le lynchage de deux Israéliens par des Palestiniens (ou l'inverse). Chacun peut douter de la sincérité de certains hommes politiques. En fait, chacun peut réagir comme il l'entend : simplement s'étonner, ricaner, se laisser toucher, voire se scandaliser de l'obscénité du mensonge ou de la violence.

Mais l'indignation, c'est plus que cela. C'est le désir, non seulement de mettre en cause, mais aussi de changer quelque chose et de vouloir autre chose :
• ne pas être dupe, se vouloir lucide,
• recourir à sa capacité de rapprocher les événements qui n'ont aucun lien apparent, mais qui prennent un sens une fois qu'ils sont pensés ensemble,
• renforcer son pouvoir d'analyse, de critique et d'élaboration, de réflexion.

C'est peut-être entendre qu'entre Israël et la Palestine, la question du partage et de la répartition des eaux potables est plus importante que la reconnaissance ou l'appropriation des lieux saints mise en avant pour ralentir un processus de paix. Ou entendre que toucher à la peine de mort, aux États-Unis, c'est réveiller des angoisses et détruire des mythes encore nécessaires à certains. C'est découvrir que certains hommes politiques ont besoin de s'appuyer sur une idéologie, voire de se cacher derrière, pour faire passer des décisions qui ne visent qu'à satisfaire des intérêts commerciaux ou industriels.

L'indignation contient sa part d'aveuglement et d'intolérance. Elle peut être le masque que prend notre écoute, quand nous ne voulons pas... changer ! Passer de l'indignation à la confrontation, à l'échange d'idées, au partage des points de vue me semble encore et encore nécessaire.

Il ne faut jamais dilapider son indignation, elle peut servir tant de causes.

Quotient relationnel

De même qu'il existe un quotient intellectuel témoignant de la capacité des personnes à comprendre la réalité et les subtilités du monde qui les entoure, à analyser ou à résoudre des problèmes, ou encore à faire face à l'imprévisible d'une situation complexe...

De même qu'il existe un quotient émotionnel, indiquant la capacité d'un homme ou d'une femme à avoir conscience de ses perceptions intimes et de ses sentiments, à rester en relation avec eux et à oser les entendre sans se laisser déborder ou envahir...

De même, il conviendrait de s'interroger sur le quotient relationnel qui est le nôtre. Cela nous éclairerait sur notre capacité à entrer en relation, sur notre aptitude à demander sans pour autant nous sentir tenu d'offrir une contrepartie, à recevoir sans disqualifier ou nier autrui, à refuser en prenant le risque de la discussion plutôt que celui de l'affrontement ou à donner sans imposer ou culpabiliser.

Nous pouvons sentir, au cours d'une rencontre, que certaines personnes ont un quotient relationnel élevé, qui leur permet de s'ouvrir à de nombreuses relations, que d'autres ont un quotient relationnel plus faible, qui les inhibe, les enferme, les place immédiatement sur la défensive et les contraint à des relations limitées.

Il me semble que le quotient relationnel n'est pas établi une fois pour toutes et qu'il peut se développer en chacun. Mais cela suppose, à partir d'une remise en cause de nos propres conduites, un travail sur nous-même, une démarche d'archéologie intime à mener à propos de notre enfance et de notre famille d'origine, ainsi que de nos expériences ultérieures, qu'elles aient été structurantes ou destructrices : « Je parlais toujours de l'autre. C'était l'autre que je mettais en cause quand quelque chose n'était pas satisfaisant dans notre relation. Si cela ne marchait pas bien entre nous, eh bien c'était à lui de changer ! Il ne me venait pas à l'esprit de m'interroger, de mettre en cause mes propres attitudes et conduites, encore moins de les modifier ou de proposer des options alternatives. Quand ma femme m'a quitté, ce fut un choc, un tremblement de terre, je n'avais rien vu venir, rien anticipé… », « Quand mon principal collaborateur m'informa qu'il ne souhaitait plus travailler avec moi car je ne lui proposais qu'un rôle d'exécutant, sans aucune réciprocité ni possibilité de discussion et de confrontation de nos points de vue, alors j'ai découvert qu'il était temps que je me responsabilise. C'était le huitième assistant qui partait ! J'aurais pu me réveiller avant ! »

Apprendre à développer son quotient relationnel est possible. Il suffit de mettre en pratique quelques règles d'hygiène relationnelle simples. La plus évidente est : une relation (que je symbolise par une écharpe, un foulard) comporte deux extrémités et dépend toujours de deux partenaires, il m'appartient de prendre en charge tout ce qui me concerne. Je suis responsable de ce que j'adresse à l'autre, de la manière dont je reçois ce que lui-même m'adresse, et surtout de ce que je fais de ce que j'ai reçu… Si je réagis douloureusement ou violemment, c'est à moi d'entendre ce qui est atteint, touché, blessé en moi.

En apprenant ainsi à mieux me définir, à oser dire non, à exprimer ce que j'éprouve, à être congruent, à me responsabiliser vis-à-vis de mes besoins, je peux faire progresser très positivement mon quotient relationnel. Si je sais laisser à l'autre ce qui n'est pas bon pour moi, venant de lui, j'évite de me polluer et je deviens moins défensif, moins agressif, plus ouvert et disponible. Si je sais accueillir et amplifier ce qui est bon pour moi, j'augmente ma créativité, mon dynamisme, ma confiance en moi et par là, la confiance que j'accorde aux autres.

Nous former à une communication non violente est une autre façon d'améliorer et d'enrichir notre quotient relationnel et ainsi, la qualité de notre vie, car nous sommes fondamentalement des êtres de relation.

Tout ce temps pour découvrir que l'existence
n'est faite que d'instants infimes, donnés
par la vie pour apprendre à mieux
être ce que nous sommes.

Donner une limite à la violence

Un ami me disait : « Pendant des années, mes amis, ma femme et sa famille, mes enfants, m'ont considéré comme un homme impulsif et violent, et je le fus. J'ai mis longtemps à entendre que ma violence exprimait surtout mon impuissance et ma vulnérabilité. Impuissance à me faire entendre, à ne pas réussir à convaincre, à me faire aimer, vulnérabilité face au rejet, à la solitude… »

Ainsi, cet homme faisait une prise de conscience grâce à un travail et à une démarche d'exploration personnelle qui lui avaient permis de modifier son comportement. Jusqu'alors aucune sanction, aucune menace n'avait pesé sur lui pour l'obliger à évoluer, mais son propre malaise grandissait et le vide relationnel s'ouvrait chaque jour plus largement devant lui.

Il arrive qu'une rencontre significative et structurante, la confrontation avec une prise de position plus claire de la part d'un être proche, des événements douloureux invitant à poser de nouvelles balises, voire une démarche thérapeutique, modifient la relation d'un individu au monde et l'invitent à se définir avec d'autres moyens que l'agressivité, à utiliser un autre langage que la violence.

Ceux qui sont confrontés directement ou indirectement à la violence d'autrui devraient peut-être entendre que la violence personnelle est toujours une réponse à une peur ou à une violence initiale. En ce sens, la violence de la personne qui leur fait face est une violence seconde ou tierce. Elle constitue en quelque sorte une tentative pathétique, inadaptée certes, mais essentielle (voire vitale chez certains) pour faire face à une violence première inscrite soit dans l'histoire passée, soit dans le vécu actuel, et qui est ressentie comme insupportable.

Il ne s'agit bien sûr pas de justifier la violence seconde ou tierce ni d'en donner quitus à l'autre, mais de tenter d'entendre le point oméga d'une spirale qui semble sans fin dans certaines situations de violence répétitive.

Pour ce qui est de la violence sociale, politique, économique ou des violences issues de la guerre, il en va tout autrement. Des individus auxquels nous avons cédé notre pouvoir d'agir (démocratie), ou qui se le sont accaparé (régime totalitaire), pèsent de toute leur puissance négative (voire de toute leur pathologie), afin d'entreprendre et de poursuivre des actions arbitraires d'une violence inouïe, voire laissent se développer la torture, le viol, la mort programmée... Violences pour lesquelles l'impunité sera dans la plupart des cas reconnue, voire une amnistie déclarée !

La création du Tribunal Pénal International et l'inculpation toute récente d'un homme d'État m'invite à en dire plus. La mise en place du TPI me semble une excellente initiative. Commencer le siècle sur cette idée forte qu'aucun responsable politique, aucun homme d'État, aucun tyran n'échappera aux conséquences de ses actes me semble constituer un beau cadeau que les hommes se font à eux-mêmes.

L'histoire du monde a toujours connu des exactions, des transgressions et des violences. Elles ont généralement été perpétrées dans le cadre de rapports de force opposant les grands de ce monde ou les hommes de pouvoir à des individus ou à des minorités plus fragiles. Mais il existait chez ces grands, me semble-t-il, à l'arrière-plan, de façon plus ou moins aiguë, la conscience qu'ils devraient un jour ou l'autre, sur terre ou dans l'au-delà, rendre compte de leurs actes. Ce qui ne limitait pas pour autant l'ampleur de leurs actes, mais pouvait procurer aux victimes un sentiment de soulagement et surtout l'espérance qu'un jour une instance immanente prendrait en compte leur souffrance, ou qu'une justice divine soulagerait leur désespoir – au fond, que le désespoir puisse ne pas être aussi désespérant...

Depuis l'Holocauste certains ont le sentiment que Dieu (s'il existe) est fort occupé ailleurs et qu'il appartient aux hommes de réparer ses défaillances. D'autres estiment qu'il ne souhaitait pas intervenir dans les affaires humaines et qu'il a remis à l'homme l'entière responsabilité de ses actes. En lui donnant cette liberté inouïe de pouvoir faire et le bien et le mal avec des moyens de plus en plus sophistiqués et d'une redoutable efficacité, Dieu renvoyait ainsi l'homme à son humanitude! Comme il s'agissait bien d'une affaire humaine, il appartenait aux hommes de se donner des balises, des garde-fous, des interdits clairs pour rappeler et faire respecter les droits fondamentaux de tout être vivant.

Puis-je rappeler quelques-uns des droits qui mettent des limites à la violence :
• droit au respect et garantie de l'intégrité physique ;
• droit à la dignité et à la tolérance vis-à-vis des croyances et des convictions ;
• droit de résister à l'oppression et à l'injustice ;
• droit de s'ouvrir à des relations pour répondre à des besoins aussi vitaux que celui de se dire, d'être entendu, reconnu, valorisé et d'exercer sa créativité ;
• droit d'intervenir dans son environnement pour parvenir à une meilleure adéquation entre les besoins de la nature et ceux de l'espèce humaine.

Je souhaite que les activités du TPI s'inscrivent non dans l'ordre de la punition ou de la répression, mais dans celui de la prévention et de la sanction. J'appelle sanction la confrontation d'un homme avec les conséquences de ses actes et la possibilité de réparer le préjudice qu'il a fait subir. Cela peut aussi s'appeler responsabilisation.

Quand on parle de droits, il faudrait parler aussi des devoirs qui en sont la contrepartie.

Messages reçus !

En revenant du Québec, au printemps dernier, je somnolais à 9000 mètres au-dessus de l'Atlantique, songeant à l'enfant que je fus. J'imaginais quel message de vie j'aurais voulu recevoir, autour de mes huit ans, quand je découvrais quelques-unes des incohérences du monde qui m'entourait. Quel message sensible m'aurait stimulé, poussé de l'avant, donné des ailes ?

Des mots furent comme chuchotés à mes oreilles. Ils semblaient si anciens et venus de si loin qu'ils s'imposaient avec évidence : « La vie n'est ni mauvaise ni difficile. Elle est belle et sereine, c'est nous qui la maltraitons. Alors ose ta vie, toi seul la vivras. » Ces derniers mots sonnaient comme l'annonce d'une victoire, mais ils résonnaient en même temps comme une plainte éveillant tout un ensemble de souvenirs douloureux.

Je tentais de retrouver quels messages de confirmation, de valorisation, de gratification j'avais pu recevoir dans mon enfance de la part de mes proches ou de mon entourage. En fait, très peu, car ils étaient pour la plupart assortis d'un « mais… » qui corrigeait ce qu'ils pouvaient avoir de trop positif, « pour que ça ne te tourne pas la tête ». Quand quelqu'un de notre entourage disait quelque chose de gentil me concernant, j'entendais aussitôt : « Il ne faut pas trop le lui dire, il va s'en croire ! Oh ! Il a du caractère, mais la vie se chargera de le dresser », ou « Ça ! pour avoir des idées, il en a ! mais pour nettoyer sa chambre, c'est autre chose… », ou encore « Pour aller jouer, on peut lui faire confiance, il est toujours le premier, mais pour donner un coup de main, faut pas trop compter sur lui ! » Je suis frappé de réaliser combien mes parents, qui m'aimaient, avaient de mal à me gratifier d'un compliment sans réserve. Comme si cela avait pu me gâter le caractère ou me donner de mauvaises idées !

Ce que j'ai le plus souvent entendu dans mon enfance, ce sont des reproches, des accusations, des dévalorisations. Ainsi, quand je revenais de l'école, je devais passer à la boulangerie pour rapporter le pain. Je le posais souvent sur le bord de la fenêtre afin de me libérer les mains et de pouvoir jouer en toute tranquillité quelques instants. Et j'entendais chaque fois : « J'en étais sûre, tu as encore oublié de rapporter le pain… » le tout suivi de commentaires négatifs. Si on me lavait la tête et que je crispais les paupières pour ne pas avoir du savon dans les yeux, j'entendais : « Mais qu'est-ce que tu es douillet ! Tu verras plus tard quand tu feras ton service militaire ! », « Et ces oreilles, on pourrait planter des choux dedans ! », « Regarde ton frère, il n'attend pas le dernier moment pour préparer ses affaires et réviser ses leçons, lui ! »

Alors, assis dans cet avion, dans cette période de mon existence qui est aussi le dernier tiers de ma vie, un peu plus près du ciel, je rêvais à tous les messages positifs qu'il serait possible de dire à un enfant pour qu'il grandisse dans la confiance et la quiétude, dans l'amour de soi et le respect de ses possibles. Je vous laisse le soin d'en inventer quelques-uns, en vous invitant à ne pas trop attendre… pour les offrir !

« Il faut fermer souverainement les yeux,
pour voir ce qui vaut la peine d'être vu. »
RENÉ CHAR

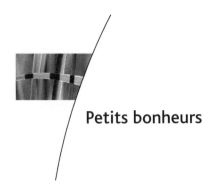

Petits bonheurs

Les bonnes résolutions sont comme les chats, elles aiment qu'on les caresse.

Est-il si compliqué d'être heureux?

Être heureux ne semble ni difficile ni compliqué. Ce qui l'est par contre, c'est de renoncer à un certain nombre d'autoprivations fondées sur la honte et la culpabilité, de lâcher prise sur les ressentiments accumulés et longtemps ruminés en réaction à des messages négatifs, à des blessures narcissiques.

Pour se sentir bien, il suffit parfois de respirer intérieurement, d'écouter le bruit de l'eau, du vent ou les murmures du silence… Bien sûr, il vaut mieux être en accord avec les valeurs qui fondent notre relation au monde, et cela dans chacun de nos gestes, et être en prise directe avec nos émotions, au plus près de ce que nous ressentons.

Une des erreurs consiste à confondre plaisir et joie. Le sentiment du bonheur ne résulte pas d'une accumulation de plaisirs, mais de la capacité à vivre dans la joie les moments les plus anodins de la vie. La joie n'est pas seulement un élan, elle est un jaillissement interne d'énergie qui dynamise la personne et son entourage. La joie participe d'un accord de tous les sens avec l'instant. Le plaisir est une sensation qui peut être forte et bonne mais qui reste limitée à une action donnée. Le plaisir s'épuise au moment même où il est vécu, alors que la joie s'amplifie et se diffuse au fil de multiples accords qui renaissent et laissent des traces plus durables.

Développer notre capacité à être heureux suppose aussi que nous sachions nous relier le plus directement possible à nos émotions, que celles-ci soient négatives ou positives. Notre culture et notre éducation ne voient pas toujours d'un œil très favorable l'expression des émotions. En général, elles nous enseignent à *bien nous tenir*. Nous apprenons donc à refouler ce que nous éprouvons, voire à le nier. Nous le savons maintenant, les émotions sont un langage qui parle de ce qui est éveillé en nous par un événement actuel ou récent et retentit dans notre propre histoire. En acceptant non seulement de reconnaître, mais aussi de nommer nos émotions à partir de nos sensations intimes, nous apprenons à mieux distinguer les sentiments parasites, épidermiques, réactionnels qui, eux, sont liés à une irritation, à une frustration ou à une déception dont les enjeux touchent principalement l'image de soi et non la personne profonde. Ces sentiments parasites nous coupent de nos émotions et de l'accord indispensable avec nous-même.

Par ailleurs, considérer que nos réactions physiologiques (rougir, trembler, transpirer) sont des indicateurs visant une adaptation maximale de l'organisme à l'environnement, et mieux reconnaître nos émotions permet de ne pas trahir ou négliger ce qui s'est réveillé en nous et qui tente de se manifester.

Au travers de ces quelques réflexions, nous voyons qu'être heureux ne dépend pas seulement de l'irruption d'un événement gratifiant ou bienveillant dans notre vie, mais surtout de notre capacité à accueillir, à protéger et à amplifier cet événement sans le parasiter par des pensées toxiques.

Cette force murmurante qui nous pousse à aimer l'être parfois le plus inaccessible.

Il est vivant !

C'est sur un coup de cœur que j'avais acheté un nouveau bonsaï. Depuis plusieurs années, j'avais la nostalgie d'un premier bonsaï âgé de 120 ans que j'avais gardé durant plus de 20 ans. C'était un érable du Japon, beau comme une sculpture, une merveille d'équilibre, une joie permanente pour les yeux, un ancrage tourné vers le divin, une présence forte. C'est devant lui que je méditais quotidiennement. Je l'appelais « le Vénérable », car il me semblait plein de sagesse et de bonté. Et puis, à l'occasion d'un déménagement, bien que transporté avec beaucoup de soin dans ma voiture, il a commencé à dépérir. Je soupçonne les courants d'air produits pas une vitesse excessive sur l'autoroute qui me conduisait vers le midi de mes rêves ! Une langueur étrange le saisit, son feuillage se raréfia, la sève déserta son tronc, n'alimenta plus ni ses bras ni sa tête. Il est mort silencieusement, comme il avait vécu.

Durant 20 autres années, je ne l'ai pas remplacé. Puis, un jour, dans une fête du livre, j'ai vu son successeur traînant sur un stand, attirant tous les regards : un orme de Chine aux feuilles frissonnantes, au tronc puissant vivifiant quatre branches solides et hardies qui en faisaient un compagnon fiable. Je l'ai adopté au premier coup d'œil, pressant le responsable du stand de me le céder. Il ne le souhaitait pas, refusant de laisser son arbre en des mains trop incertaines : « La plupart des gens achètent un bonsaï non par amour mais par curiosité, m'a-t-il dit. Vous l'aimerez au moins ? »

Nous nous sommes apprivoisés l'un l'autre, lui peut-être plus que moi, car j'ai eu du mal à trouver, dans ma maison, l'emplacement idéal pour lui : ni trop de soleil, ni pas assez, à l'abri des courants d'air, du bruit, des mouvements trop brusques, mais cependant suffisamment proche car je souhaitais pouvoir lui parler, lui sourire, partager avec lui quelques moments forts d'un quotidien souvent très encombré…

Puis un matin, au retour d'un voyage, j'ai découvert qu'il était devenu tout roux, feuilles séchées, recroquevillées sur elles-mêmes, branches squelettiques, dévitalisées, avec toute l'apparence d'être, sinon mort, du moins à l'agonie. Une amie de passage proposa de le prendre en pension. Je pensais que c'était inutile, j'ai accepté. Mais à l'intérieur de moi, j'avais renoncé, démissionnant de cette relation trop frustrante. Un mois plus tard, je recevais cette lettre :

« Il est vivant, tu sais, il est vivant, il est bien vivant ! C'est une petite tache verte posée sur la branche brune qui m'a interpellée… J'ai cru qu'il s'agissait d'abord d'une aile d'éphémère ou d'un minuscule puceron. Hésitante, prudente, tant je ne voulais pas m'illusionner, tant j'étais en attente du moindre signe de vie, j'ai posé sur mon nez une seconde paire de lunettes, j'ai même pris une petite loupe… et j'ai vu, je l'ai vu ! Pas de doute, c'est bien un petit bout de feuille, une vraie, toute chiffonnée, toute naissante de sève neuve. Oui, oui, oui ! Et voici une autre tache verte, à peine un point de couleur, comme une éclaboussure infime de vert, égarée sur le tronc noirci. La loupe le confirme, c'est un bourgeon qui se fissure, c'est bien la vie, c'est gagné ! ton bonsaï, ce vieil orme, est vivant !

« La joie m'a fait taper des mains comme une enfant, m'accroupir près de lui, rire de plaisir, le caresser du regard et accepter l'émotion qui m'a mis les larmes aux yeux, me faisant découvrir le lien particulier que j'ai avec cet arbre. Cela faisait 26 jours que j'attendais, que j'espérais qu'il ne soit pas malade, que je lui parlais, le vaporisais, que j'essayais de lui transmettre de l'énergie. Je ne pouvais accepter l'idée, qui devenait de plus en plus prégnante au fil des jours, devant la nudité terne des branches, la ramure figée comme sur une vision d'hiver faite de froidure, de grisaille et de tristesse, qu'il pouvait mourir.

« J'avais taillé les extrémités dépouillées, raccourci les branchettes des-séchées, enlevé chaque cochenille une à une, ainsi que celles qui s'étaient agglutinées et avaient formé des boursouflures rouges, sangsues malfai-santes qui l'avaient terrassé, lui l'ancien, le plus que vénérable. Délica-tement, d'un petit coup d'ongle, en m'excusant chaque fois, j'avais souvent écorché le tronc, les branches maîtresses, les petits rameaux, recherchant dans l'infime blessure la marque encourageante qui me laisserait espérer, malgré l'apparence extérieure, que la vie était encore là, présente à l'intérieur. Je lui disais : "Je veux que tu vives !"

« Hier matin encore, j'étais dans le doute, je l'avais sorti sur le balcon, le temps étant orageux, pour permettre à la pluie de venir le câliner, l'humidifier un peu. Avant-hier, je lui avais dit : "Pousse, pousse, quelqu'un t'attend." J'avais bien remarqué une différence dans les bourgeons, qui m'avaient paru plus apparents, plus renflés, mais j'avais pensé que c'était mon imagination (ou plutôt mon désir qu'il vive…) qui me jouait un tour. Aujourd'hui c'est bien vrai : la vie est là. La sève remonte, prend toute sa place.

« Demain, après-demain il va reverdir en entier, retrouver sa parure, son port superbe, ses feuilles dentelées, sa belle prestance, sa bonne santé. Quand il sera beau, ragaillardi, à nouveau tout feuillu et frin-gant, il reviendra vers toi… »

Ainsi, sans désespérer, avec ténacité et passion, en offrant chaque jour des soins privilégiés à un arbre centenaire, cette amie a maintenu la vie vivante, à l'endroit même où j'avais renoncé, découragé… La vie, la vie ardente me surprend chaque fois par sa vitalité.

**La qualité d'une écoute permet même
d'entendre ses propres silences.**

« Heureusement que j'ai une passion! »

Celle qui s'exprime ainsi ne se place ni sur le plan de la relation affective ni sur celui de la passion amoureuse, mais sur le terrain de l'amour, de la passion qu'elle a éprouvée toute sa vie pour le dessin et la peinture: « J'ai réalisé ma vie en fonction de cette passion, raconte-t-elle. À 12 ans je ne voulais plus aller à l'école, je voulais dessiner et mon désir fut contrarié justement parce que j'étais "mauvaise, nulle, incapable" par ailleurs. Si j'avais aimé l'école et si j'avais eu de bons résultats, on aurait soutenu ma passion, mais bêtement je la mettais en rivalité, en opposition avec mon travail scolaire. Alors mes parents ont fait la guerre à cette intruse. Ils rendaient le dessin, la peinture et mes quelques velléités pour la danse responsables de mes mauvaises notes. Heureusement, en 5ᵉ, dès le début de l'année, une enseignante découvrit quelques-uns de mes gribouillis et dessins, les trouva beaux et m'encouragea à poursuivre. J'ai voulu devenir comme elle, c'est ainsi que je suis entrée dans l'enseignement. Quand j'ai été institutrice, pour avoir la paix, c'est-à-dire beaucoup de temps à moi, j'ai toujours été la première, avec d'excellentes notes confirmées par mon inspecteur... »

Ceux qui arrivent à l'âge de la retraite sans passion, sans hobby, risquent d'éprouver des difficultés à passer leur temps à ne rien faire ou à s'ennuyer en leur propre compagnie. Heureusement que les passions sont presque aussi nombreuses que les individus!

Les passions pour la musique, la lecture, le modelage, le jardinage ou la pêche au lancer sont assez répandues. Mais il est des passions plus rares, plus secrètes, moins dicibles peut-être, polarisées sur des aspects de la vie qui paraîtraient à d'autres insignifiants ou banals : collectionner les étiquettes de vins, les affiches de Johnny Hallyday, les ronds de serviette ou les capsules de bière peut paraître dérisoire à certains, mais représenter pour d'autres une passion de tous les instants.

Celui qui est passionné ne le fait pas pour occuper son temps. Il y a du militantisme, un engagement du cœur et de tous les sens dans une passion, qui font passer au second plan tout ce qui ne la concerne pas. Une passion nous garde toujours auprès d'elle, elle fait danser le temps, dynamise et exalte le présent.

Hier, c'est de l'histoire ancienne
Demain est un mystère
Aujourd'hui un don
C'est pour cette raison
qu'on l'appelle Le Présent.
(AUTEUR INCONNU)

Écrire

Lire, écrire, s'exprimer par la musique, la peinture, la danse ou la sculpture, autant de chemins offerts pour se dire et surtout pour aller à la rencontre du meilleur de soi-même. L'une des grandes fonctions de l'écriture réside dans son pouvoir libérateur et donc thérapeutique. Écrire, c'est tenter de savoir ce que l'on écrirait, si l'on écrivait. «On ne le sait qu'après», disait Marguerite Duras. L'écriture est semblable à un chemin ouvert sur la quête de soi-même et de son propre mystère. Un chemin qui nous fait voyager à l'intérieur de nous, pour aller à la rencontre de quelques-uns de nos possibles.

Un ami écrivain me confiait: «J'ai commencé à écrire pour me délivrer de ce qui m'encombrait, m'aliénait, me dépossédait de moi-même. Plus tard seulement, j'ai écrit pour les autres!» Écrire pour aller mieux, pour donner une forme à son imaginaire, pour se relier au regard et à l'écoute de l'autre, se ressourcer et grandir.

Je suis devenu *écrivant* pour écouter et prolonger en moi le temps de l'aimée. C'est durant son absence que j'écrivais. Je faisais des poèmes pour elle, pour la garder encore un peu en moi, me relier encore et encore à sa présence. J'écrivais aussi pour exorciser la peur de lui déplaire, l'angoisse de la perdre. L'écrit amplifie les mots rêvés, anticipe les déclarations attendues et espérées. L'écriture donne une existence et une vie plus durables aux mots secrets longtemps portés dans le silence du cœur et l'illusion de l'âme.

L'écriture est un acte de confiance inouïe envers l'avenir. Celui qui écrit espère un lecteur, c'est-à-dire un regard, une écoute, un alter ego. Ma grand-mère disait : « Un livre a toujours deux auteurs : celui qui l'écrit et celui qui le lit ! » J'imagine souvent que les plus grands chefs-d'œuvre de la littérature dorment dans des tiroirs ou sommeillent au fond de malles, dans des greniers oubliés, attendant justement un regard, une écoute.

On m'a demandé ce qui distinguait un écrivain d'un *écrivant*. L'écrivain me semble faire une œuvre dans laquelle il crée du réel avec son imaginaire et celui du lecteur. *L'écrivant*, lui, puise dans le réel, le travaille, le cisèle pour l'emmener jusqu'aux rives de l'imaginaire de son lecteur. Écrivain, *écrivant*, chacun sculpte des mots pour les apparier et bâtir, au delà de la phrase, un récit, une vision, un enchantement.

Mon arrière-arrière-grand-père était tailleur de pierre. Payé à la tâche, il marquait de son signe, sorte de sceau personnel, chaque pierre qu'il avait façonnée. Il était payé quelques sous par pierre travaillée. Qu'aurait-il répondu à l'étranger qui demanda à trois tailleurs de pierre ce qu'ils faisaient sur un chantier venant d'ouvrir : « Je taille une pierre », répondit le premier, « Je prépare un mur », dit le second, « Je bâtis une cathédrale », murmura le troisième ? Écrire, c'est faire tout cela et, de plus, imaginer la foule des fidèles et surtout le croyant qui prieront dans la cathédrale.

À l'instar du poète chinois disant que « Pour peindre un arbre, il faut le laisser pousser à l'intérieur de soi », je dirais que pour écrire un mot il faut le laisser grandir dans son imaginaire.

Cultiver nos cinq sens

À certaines périodes de notre vie, en été et particulièrement durant les temps de loisir, lorsque le soleil se fait généreux et la nature intensément présente, le contact plus direct avec les quatre éléments fondamentaux de la vie, l'eau, la terre, l'air, le feu du ciel, stimule davantage nos sens, les réveille, les vivifie, parfois même les sature.

En vacances, nous avons quelquefois le sentiment que notre corps est trop petit ou trop étroit pour toute la vie qu'il contient, trop passif ou morcelé pour accueillir l'influx d'énergie qui le traverse, le dérange, mais l'irrigue aussi. Parfois encore, ce sont nos sens, trop sollicités, qui s'épuisent, s'affolent à saisir, à engranger les mille stimulations dont ils sont l'objet.

Durant le moment privilégié des vacances, se découvrent et se développent non seulement nos sens familiers, la vue, l'odorat, le toucher, l'ouïe, le goût, mais aussi des sens plus sensuels, plus intimes, plus subtils, plus précieux – la curiosité, l'étonnement, voire l'émerveillement, qui nous transporteront, nous enchanteront, nous feront découvrir en nous des ressources parfois insoupçonnées.

Un ami me disait : « J'étais en vacances aux Antilles, imprégné d'odeurs, de couleurs, stimulé par des sensations nouvelles, et j'ai commencé à faire du pastel. Il m'a semblé d'un seul coup qu'il était nécessaire, urgent, de traduire, de mettre en forme l'enchantement qui m'habitait devant l'opulence des paysages, le chatoiement et le mouvement des couleurs... Aujourd'hui c'est une passion, sans laquelle ma vie me semblerait vaine et fade, sans couleurs ! »

Il est important de cultiver nos cinq sens, mais aussi les autres, plus secrets, plus cachés, ceux qui n'appartiennent qu'à nous, qui sont uniques, plus fragiles et qu'il est précieux de protéger, de choyer au fil des cheminements de l'existence.

« Il n'y a rien de plus important en amour que d'accepter la fragilité de l'autre : c'est ce que j'appelle la douceur. Et rien de plus important dans la sagesse, que d'accepter sa propre fragilité, c'est ce qu'on appelle : l'humilité. »
ANDRÉ COMTE-SPONVILLE

« J'inventais des odeurs... »

Il est des confidences émouvantes qui viennent du plus loin de l'histoire de chacun. Ainsi cette lettre que j'ai reçue l'an passé, d'une inconnue qui a signé de son seul prénom. Un prénom simple : Marie.

« Toute petite je me sentais. J'aimais toucher mon sexe et porter ensuite mes mains à mon visage. J'adorais me sentir. Ce geste qui n'avait jamais été remarqué par mes parents avait été perçu par mon oncle qui, chaque fois qu'il le pouvait, tentait de me coincer dans un coin et me disait, sur un ton que je ne trouvais pas plaisant du tout même s'il riait : "Tu sens la crevette." J'entendais ces mots comme méprisants et dévalorisants, porteurs d'un jugement très négatif sur un trait de moi que je ne savais pas identifier clairement. C'est comme si la totalité de mon corps était sale, comme si je sentais mauvais. Alors, je vérifiais chaque fois, en posant ma main sur différentes parties de mon corps et autour de mon sexe, et je me disais : "Mais non, je ne sens pas la crevette, je sens, c'est tout." Et je cherchais des noms d'odeurs.

« C'est ainsi que je me suis mise à inventer des odeurs qui n'étaient connues que de moi seule !

« J'entendais des exclamations telle que "Ah ! j'adore l'odeur des roses fanées", et le soir quand je me touchais et sentais mes doigts, je me disais : je sens *rosefanée* sans toujours comprendre ce que cela signifiait. Une fois, j'ai entendu mon père raconter : "J'ai suivi une trace de serpent sur plusieurs mètres. Je le sentais tout proche." J'inventai aussitôt l'odeur *serpentine*. Ainsi ai-je successivement senti *colèrebleue*, *iristrouble*, *cèdrette*... Oui, je sentais même le cèdre du jardin, en plus doux, moins épicé. Un jour j'ai senti *titillante*, j'avais entendu le mot "titiller", je le trouvais joyeux, pur comme une goutte de rosée !

«J'ai gardé longtemps cette habitude de me sentir. Quand j'ai eu mes premières règles je sentais la *sanguine*, parfois la *rougeoyante*, la *désespérante* aussi !

«Aujourd'hui je vois bien que ma fille a un geste bien à elle pour se sentir : elle frotte son index juste au-dessus de sa lèvre supérieure et replie son majeur sur son nez en le caressant doucement, le regard vaporeux, lointain. Je ne sais si elle donnera des noms à ses odeurs à elle, cela lui appartient… »

Je suis émerveillé par ce témoignage. Je sais combien tout ce qui touche à l'intimité du sexe d'une petite fille est censuré et reste souvent dans un non-dit qui va bien au delà de la pudeur. Les parents, les mères en particulier, ne s'intéressent au sexe de leurs enfants que lorsque quelque chose ne fonctionne pas bien ! « Maman, c'est tout collé – Ce n'est rien ma chérie, je vais te laver » ou « Maman, ça saigne – Ah ! tu es une femme maintenant »…

Serait-il possible pour une mère de proposer à une petite fille de poser sa main sur son sexe, puis de l'inviter à l'écouter respirer, chanter, rire… ? Serait-il possible de réconcilier les femmes avec leur propre sexe en démythifiant les messages négatifs qui leur sont trop souvent adressés par un entourage maladroit ou angoissé ?

Chaque sexe est un mystère et a besoin d'intimité pour être respecté ; de beaucoup de bienveillance et d'amour aussi, pour trouver sa place et pour ne pas être identifié par une odeur, pour être au bon endroit non seulement dans le corps de la petite fille, mais aussi dans celui de la femme qu'elle sera plus tard, et surtout dans la tête de chacun.

L'existence de tout enfant comprend une tranche de vie que j'appelle le temps de l'innocence. Un temps où le bon et le beau se confondent, où l'horizon réside dans le bleu ou le noir d'un regard aimant, où la vie est immense comme un berceau de rires…

Une journée bien remplie

Une journée bien remplie est une journée qui commence en général tôt, juste avant le lever du soleil, et qui se déroule jusqu'au soir dans une succession d'événements qui s'ouvrent les uns sur les autres en s'accordant, tels les morceaux d'un puzzle qui, même éparpillés, participent au même dessin.

Une journée bien remplie passe si vite que le temps semble avoir oublié de se manifester, comme s'il s'était mis en retrait pour permettre à chaque instant de révéler son parfum d'éternité. À la fin d'une telle journée, la fatigue nous accueille, telle un berceau de détente. Nous n'avons pas besoin de rechercher le sommeil, il est là qui nous enveloppe et nous emporte pour le long voyage de la nuit tandis qu'un sentiment de plénitude nous ferme les paupières.

Une journée bien remplie voit se dérouler des gestes qui savent improviser, s'ajuster, réparer, apaiser, prolonger en s'entremêlant harmonieusement pour permettre à chaque événement de tenir sa place. En même temps, elle laisse suffisamment d'espace pour que puissent surgir et trouver leur place tout l'imprévisible et l'inattendu qui jalonnent la matinée, les repas, l'après-midi et la soirée d'un seul jour.

À la fin d'une journée bien remplie, il n'y a ni regrets, ni déception, ni lassitude, seulement la satisfaction béate d'avoir vécu justement, dans le bon et dans le bien, d'être accordé aux vibrations de l'air, aux nuances et aux variations de la lumière, aux odeurs, aux bruits, à la respiration des événements.

Une journée bien remplie se suffit à elle-même, elle ne comporte pas de situations laissées inachevées ou en suspens, ne se laisse pas polluer par hier ou par demain, elle est compacte, elle forme un tout homogène. Pour cette raison, elle s'apparente à un noyau d'énergie pouvant servir d'ancrage et de référence pour les jours à venir. De fait, une journée bien remplie peut nous dynamiser pour plusieurs jours.

J'en ai vécu une dernièrement. C'était la veille du mariage de l'une de mes filles. Je fermais les yeux et elle était dans mes bras, nourrisson affamé de vie. J'ouvrais les yeux : un quart de siècle s'était écoulé, et se tenait devant moi une femme dans la plénitude de son être, engagée dans sa profession, présente à l'amour de son partenaire, *rêveuse rêvant* de tout un futur à vivre tandis que j'entre dans l'automne de ma vie !

J'ai traversé cette journée en me souvenant de mille détails concernant sa conception, sa gestation dans le ventre de sa mère, son enfance et son adolescence tumultueuse. Je retrouvais intacts les mille événements joyeux et douloureux qui avaient jalonné notre vie commune. Je pressentais aussi toute la nostalgie d'être trop souvent passé à côté de l'essentiel avec cette enfant, mais en gardant en moi tout le précieux et le bon de notre relation. Et j'anticipais aussi tout le bon et le généreux qu'il nous restait à vivre encore et encore.

Il arrive à certaines secondes d'avoir plus de mémoire que de longues heures. Ma mémoire de toi reste pleine de tous nos instants.

Au cinéma...

Chaque fois que je vais au cinéma, ce qui n'arrive pas souvent, une douzaine de fois par an peut-être, je découvre des aspects nouveaux ou inconnus de moi. Et je trouve cela très stimulant.

Tel personnage devient mon double, cette partie de ma personne qui n'avait pas osé aborder une certaine dimension de l'existence, risquer un geste, dire un mot, reconnaître une émotion, qui n'avait pas encore découvert le plaisir d'aimer de cette façon ni la tentation de l'héroïsme...

Je n'assiste pas à une projection, je *suis* une projection vivante. Je n'ai pas le sentiment de fuir ma vie, ou de regretter des choix que j'ai faits quant à mes engagements passionnels, affectifs ou familiaux. Non, je me sens bien à ma place dans les orientations que j'ai choisies et dans les ancrages passés et actuels de mon existence ; mais j'ai plaisir, au travers du comportement des personnages, plus que de l'histoire proprement dite, à reconnaître tel mouvement secret de moi, tel désir encore en germe et qui soudain sort de l'ombre, se dévoile et prend sa place au soleil.

Parfois aussi, ce sera la découverte, comme une évidence, grâce à un nouveau décodage, d'une partie de mon propre vécu. Telle situation, telle décision, tel événement prend alors sens, ou prend un sens différent de celui que, jusqu'à ce jour, je lui avais prêté.

Le cinéma est un révélateur de nos pulsions secrètes. Un film, un personnage, une séquence irréelle ont ce pouvoir de nous déloger de nos habitudes, de bousculer nos croyances, d'agrandir nos possibles, de dynamiser nos ressources – en un mot, de nous éveiller.

Je pense encore à cette scène de *Out of Africa*, ce film que j'ai vu il y a maintenant 15 ans. Au moment où Robert Redford et Meryl Streep font l'amour sous la tente, elle lui chuchote, pour mieux s'abandonner : « Ne bouge pas, ne bouge pas »... Cette scène m'a paru superbe, elle mêlait l'amour et la tendresse, évoquait le temps que nous prenons quand nous décidons d'arrêter le temps pour accueillir la part d'éternité qui existe dans tout acte d'amour.

Je pourrais évoquer *Bagdad Café*, *Le Festin de Babette*, *Broken Silent*, *Hiroshima mon amour*, *Himalaya*, *Sur la route de Madison* et quelques autres films encore qui m'ont ému, bouleversé et, chaque fois, fait faire un pas de plus dans la rencontre avec moi-même.

Je songe aussi à *La Belle Verte*, une allégorie merveilleuse de Coline Serreau. Je revois la scène, quand elle se présente dans une maternité où souffre un bébé fiévreux et dévitalisé et qu'elle le prend nu contre sa peau et lui transfuse un peu de sa vie, un peu de sa présence : transfert d'énergie et d'amour... Scène qui m'a révélé que moi aussi j'avais pu ainsi donner de l'énergie et de l'amour à mes jeunes enfants quand ils étaient tout petits et que je les prenais contre mon corps, à une époque où c'était encore faisable !

Il est des films qui repoussent un peu plus loin les limites de nos possibles.

« L'homme descend du songe. »
DANIEL MERMET

217

« Depuis qu'elle chante, on ne la reconnaît plus ! »

« Depuis qu'elle chante, on ne la reconnaît plus ! C'est comme un miracle ! Vrai ! » Cette amie qui me parle, à l'accent chantant de Martigues, ne peut s'empêcher d'accentuer ce « Vrai », comme si je pouvais douter que la personne dont il est question puisse vraiment chanter !

« Avant, elle était toujours dans sa tristesse, confite dans le deuil de son mari, celui de sa vie difficile, avec un quotidien rempli d'une infinitude de petits ennuis... On n'osait même plus l'appeler au téléphone tant le ton monotone de sa voix nous chavirait le cœur. Elle était souvent déprimée, abattue, à la limite de ne plus se nourrir, tellement triste, négative, engluée dans sa peine, ses multiples maux, ses médicaments, son médecin qu'elle voyait presque journellement...

« Puis elle est entrée dans un groupe de chant. Un de ceux qui se sont développés au village ces dernières années. Pas une chorale, non, c'est plus dynamique, plus jeune, moins formel ! Tous les âges y sont accueillis. On y chante du jazz, du traditionnel, du Brel, du Bécaud, des chansons *de la télévision*, du Nougaro... des classiques sérieux (là, il ne faut pas se tromper parce que ça se voit, non ça s'entend !).

« Elle chante, elle ose dire, enfin, qu'elle a toujours aimé chanter et même ô surprise ! qu'elle aurait voulu faire du théâtre, mais que "dans sa famille, cela ne se faisait pas..." Avec le groupe, elle part chanter dans les communes environnantes. Si on la cherche, "elle est au chant" ! Et c'est de la joie qu'elle en rapporte, qu'elle raconte au téléphone.

«Elle est devenue tellement gaie que c'est un plaisir de l'appeler, de l'entendre, d'être auprès d'elle. Tellement en forme qu'elle ne prend plus aucun médicament. Son médecin s'est inquiété de ne plus recevoir d'appel d'elle (eh oui! l'entretien de la dépendance!), elle n'a plus aucune douleur. "Demain on verra bien!" Aujourd'hui, elle paraît occupée à temps plein, elle se mijote de bons petits plats, elle prend soin d'elle. Elle a demandé à sa fille de l'accompagner pour changer sa garde-robe "qui date quand même un peu, tu ne trouves pas?". Et elle prend soin de sa voix, une si belle voix…

« Toute la famille s'extasie, en parle avec des larmes aux yeux, tant elle rayonne, tant elle a changé… Grand-Mère! Car cette jeune chan-teuse, cette alouette, ce pinson qui chante et chante depuis plus d'un an maintenant, c'est la grand-mère de mon fils et elle a 81 ans! » me confie cette amie. Un peu plus tard, elle ajoutera, songeuse: «Je ne vais pas attendre mes 81 ans pour chanter… Moi aussi j'ai beaucoup de chansons en retard! »

Et si chacun de nous commençait à en retrouver quelques-unes en lui, pour commencer ainsi à se les offrir.

C'est à tout âge et chaque matin qu'une femme devient femme, en affirmant ses choix, en allant au bout de ses désirs, en acceptant d'aller vers le meilleur d'elle-même.

Lecture à foison

Depuis ce jour inouï de mes huit ans où a surgi dans ma vie un livre de Michel Zevaco (feuilletoniste prolifique de la fin du XIXe siècle), *Les Par-daillan,* je suis devenu un lecteur puis un *papivore* redoutable et insatiable, ce que l'on appelle un « grand lecteur ». Après avoir dévoré les huit tomes de cette saga, je me suis jeté sur tout ce qui était imprimé. Au début, il me suffisait d'entrevoir la couverture d'un bouquin pour l'ouvrir. J'entrais dedans à la page où le livre s'ouvrait. Je commençais toujours par la page de droite, ce qui me permettait de la tourner vite, et je continuais jusqu'à la fin du chapitre. Ensuite, je reprenais du début, depuis la page de titre : j'avais besoin d'entrer dans un livre à l'improviste, comme de le surpren-dre avant qu'il ne puisse s'enfuir et disparaître…

Aujourd'hui, en matière de lecture, mes choix sont éclectiques. La gamme en est large, paradoxale. Le dimanche je lis des livres faciles, des fictions, des romans policiers. Je réserve pour les vacances les grosses sagas américaines de 600 pages, les best-sellers dont j'ai repéré les titres en cours d'année, soit lors d'une rencontre, soit dans les criti-ques et les comptes rendus des magazines, littéraires ou non. Mais la plupart du temps, je me sens appelé par un titre, une quatrième de cou-verture, un auteur. La nécessité de me réactualiser sur le plan profes-sionnel, la psychologie, la communication, existe aussi. Mais c'est un pensum relativement léger que de me plonger dans des essais ou des ouvrages plus techniques qui traitent de ce qui me tient le plus à cœur : les relations humaines. Je cherche surtout des livres qui m'offrent des ancrages et m'apportent un supplément d'âme.

La lecture est à la fois une activité solitaire (il est difficile de lire à deux le même livre) et conviviale (quand on lit allongé près de celle ou de celui avec lequel on peut partager ses découvertes et commentaires enthousiastes ou étonnés).

En fin de journée, la lecture peut être sabotée par une somnolence insidieuse qui étire les mots jusqu'aux rives du sommeil. Chez la plupart de ceux qui aiment lire, le plaisir de lire s'accompagne, outre du plaisir d'entrer dans un univers nouveau, d'un sentiment de bien-être, d'abandon et de lâcher prise vis-à-vis des préoccupations ou des obligations en cours… Lire, c'est se donner la possibilité d'agrandir le temps, d'ouvrir un espace à l'intensité des rêves, des voyages imaginaires et des réflexions sur ce qui nous meut. Le temps idéal pour lire est un jour de pluie. Pas de tempête ou de tornade, non, ces journées où ruisselle sans fin une pluie douce et lente qui ferme l'horizon, ralentit le temps, enveloppe la maison comme une protection paisible.

Car s'il est des livres qui donnent le sentiment d'être plus intelligent, il en est d'autres qui rendent plus savant ou qui font voyager, et d'autres encore qui font rêver. Plus rares sont ceux qui réconcilient avec le meilleur de soi, qui rapprochent de cette part de l'être que j'appelle le noyau divin, qui scintille en chacun. Lire, c'est entrer dans l'inattendu d'un mot, la chaleur d'une phrase, l'imprévisible d'une histoire et parfois l'appel d'une voix qui nous rejoint dans l'essentiel, au plus proche de notre vérité intime, et nous invite à nous respecter, à aller plus loin, plus près du meilleur de nous, de l'autre aussi.

Je ne prête jamais un livre, je préfère l'offrir, je ne rends jamais un livre prêté, je préfère le garder…

Qu'il est doux de ne rien faire...

Aspirer au repos ne suffit pas pour le trouver. Cela peut même nous épuiser, tant le décalage paraît grand entre le besoin et sa réalisation ! Se reposer, ne rien faire, s'immerger dans le farniente, est une aspiration louable, et plus fréquente qu'on ne le croit chez beaucoup ; mais contrairement aux apparences l'intention peut se révéler difficile et laborieuse à réaliser ! De fait, le désir d'interrompre une activité, de cesser de s'éparpiller dans le *faire*, afin de prendre du temps pour soi, est sans cesse menacé, bousculé, parasité par de multiples intentions récurrentes : terminer la tâche entreprise, s'occuper les mains, mobiliser son esprit, réaliser un rêve, rencontrer quelqu'un… Bref, *faire* au lieu d'*être*, car ne rien faire, c'est donner plus de place au *savoir-être*.

Quand nous parvenons enfin à ne rien faire, souvent après nombre d'efforts, ce moment se révèle fragile, facilement remis en cause et perverti par beaucoup d'autres bonnes intentions, sollicité par de nouvelles sollicitations à… faire ceci ou cela !

Se reposer est rarement une activité à temps plein. Il faut avoir des dons très particuliers, très affinés pour rester toute une semaine, et même une seule journée, sans rien faire. Les conditionnements familiaux et culturels sont puissants pour nous déloger de l'inactivité. Le droit à la paresse n'est pas intégré psychologiquement comme un alibi suffisant. S'entraîner à doses homéopathiques au début, puis oser de façon délibérée et soutenue par la suite et finalement s'adonner au farniente de manière constante et élaborée, est peut-être la solution… Quelques personnes particulièrement douées y arrivent. Et on les entend, après cette expérience, raconter à tous leurs amis et connaissances, avec force détails, tout ce qu'elles ont fait pour… ne rien faire.

Ah ! Ne rien faire pour avoir le temps de faire plein de choses passionnantes…

Règles de vie

Renoncez à vos ressentiments
n'en gardez aucun
car ils sont semblables à des poisons
et polluent toute relation
y compris la plus essentielle
la relation à vous-même.

N'entretenez plus accusations,
reproches ou critiques vaines
et ne nourrissez plus vos rancœurs.
Apprenez à ne plus vous disqualifier,
ne restez pas dans la victimisation,
abandonnez les plaisirs faciles
de la plainte et des regrets.

Osez être à l'écoute de votre personne,
dans le respect de ce que vous êtes
c'est le seul chemin pour rencontrer le meilleur de vous-même.
Rassurez-vous en prenant appui
sur le meilleur de vous et de l'autre
quand ce dernier est proche de vous.

Encouragez-vous en reconnaissant votre valeur.
Du besoin d'affirmation et du besoin d'approbation,
oubliez le dernier.
Vivez au présent
tant d'éternité est en gestation dans un instant.

Devenez coauteur de vos relations
en acceptant les possibilités que procure la solitude
et celles, plus imprévisibles, qu'offre la rencontre avec autrui.
Vous serez ainsi le meilleur disciple
de votre propre vie.

Aimez-vous autant qu'il vous est possible de le faire
et même un peu plus qu'il n'est nécessaire.
Vous introduirez ainsi plus de vie dans votre existence,
plus de *vivance* dans votre vie.

Prenez le risque de vous respecter et de vous aimer.

Espace de vie

Certaines périodes de l'année, variables chez les uns et les autres, mais qui sont à mon avis très liées aux dates de notre naissance et parfois de notre conception, réveillent un besoin de changer de *look* ou de décor. Se révèlent alors une fringale de transformation, un besoin de couleurs nouvelles, une métamorphose dans les apparences ou l'environnement proche et, au delà, le témoignage encore voilé d'une mutation plus profonde, déjà en cours…

Certains congés sont mis à profit pour modifier, pour améliorer le nid, l'appartement, la maison. Nous appartenons à deux catégories principales : les organisés et les improvisateurs. Les organisés choisissent, planifient une stratégie et une façon de faire cohérentes : la cuisine ou la chambre en premier, les couloirs en dernier. Ils protègent les meubles, font des essais, comparent des échantillons, consultent, se renseignent, demandent des conseils à des amis ou à des professionnels. Bref, certains n'ont jamais été aussi sérieux que pendant ce temps de repos, quand leur projet occupe toute la place dans leurs pensées et leurs actes.

Les seconds improvisent, d'abord joyeusement, pleins de fougue et d'enthousiasme, pour se retrouver parfois au milieu d'une immense pagaille. Prisonniers de trois ou quatre chantiers différents, enfouis sous les difficultés, envahis par des matériaux en trop ou inappropriés. Ceux-là aussi feront appel à des professionnels patentés ou à des amis compétents et disponibles qui viendront les tirer d'affaire, mais seulement à la fin !

Quelle que soit la méthode employée, les effets de tous ces travaux sont le plus souvent positifs et le moral reste élevé, surtout quand s'y ajoute l'anticipation des réactions futures qui confirmeront le bon goût, le courage ou l'habileté du maître d'œuvre, par une admiration sans réserve devant les résultats !

Ce changement de l'environnement familier retentit positivement sur l'image de soi. Le remplacement d'une vieille moquette par une nouvelle, plus colorée et surtout plus moelleuse, peut ainsi s'apparenter à un cadeau plein de tendresse que l'on se fait à soi-même. S'offrir un tapis qui illuminera un coin de l'appartement peut équivaloir à une marque d'amour adressée à la partie vulnérable de soi. Changer l'éclairage de son coin de lecture, c'est d'une certaine façon tenter d'éclairer des aspects de sa vie ou projeter plus de lumière sur les zones d'ombre de son existence. Il arrive parfois que l'on veuille aussi toucher aux fondations ; il s'agit de changement plus profonds, qui peuvent faire basculer une vie dans une autre direction. Notre maison extérieure est à l'image de notre maison intérieure, elle en reflète les contradictions comme les ressources.

En matière de changement, chacun reste maître de ne pas vouloir... changer.

Rangement

Le désir soudain de ranger, de mettre de l'ordre (qui n'est le plus souvent qu'un déplacement organisé du désordre!) s'accompagne d'un besoin d'élaguer, d'alléger, de se soulager de l'inutile qui encombre notre existence. Quand nous arrivons à la fin d'une année de travail, d'une tranche de vie, et que nous avons le sentiment que trop de choses nous envahissent, trop d'affaires superflues, trop d'objets inutiles, trop de souvenirs dévitalisés, surgit le désir de faire un peu le vide pour faire place à du nouveau, à du neuf.

Ranger son appartement, déplacer les meubles, modifier la géographie d'une maison s'accompagne d'un sentiment de libération et de renaissance. Ma grand-mère disait: «Il est très difficile de remplir une bouteille déjà pleine!» Si nous sommes en effet trop plein de tout ce que nous avons reçu et accumulé, nous sentons que pour accueillir l'imprévisible, pour nous étonner d'une découverte, il nous faut faire de la place en nous et hors de nous. Tailler dans le vif de l'inutile ne sera pas inutile! En libérant l'espace extérieur, c'est aussi l'espace intérieur que nous libérons, que nous ouvrons, que nous rendons plus disponible pour nous-même et les autres.

Je sais par expérience que certaines velléités de rangement se heurtent à des résistances, à des doutes qui nous saisissent quand vient le moment de jeter, de mettre dans un carton ou dans un sac poubelle: «Je pourrais en avoir besoin un jour, qui sait?», «Cela pourrait encore intéresser un des enfants, des amis, des parents. On ne sait jamais.» Alors nous replaçons l'objet, le livre, le vêtement que nous avions l'intention de supprimer et nous le retrouverons des années plus tard, avec le même désir de nous en débarrasser, la même hésitation à le faire! Un jour viendra où le deuil étant fait, il sera possible de renoncer à le garder plus longtemps… Ce sera bien.

L'intention de mettre de l'ordre n'est souvent qu'une autre façon de faire du désordre ailleurs, dans un endroit moins visible, moins chargé affectivement et où le changement peut encore attendre.

Cependant, quel soulagement d'avoir pu se débarrasser de meubles, d'objets, de linge, de babioles qui ne correspondent plus à l'homme ou à la femme que nous sommes devenu. Ils ont perdu leur signification émotionnelle, et leur disparition, la place qu'ils laissent vide offrent effectivement un espace pour accueillir d'autres objets, un autre projet de vie, plus en accord avec notre mode de vie actuel… Mais il est certains objets qui échappent à toutes les tentatives de séparations, qui s'accrochent à nous pour nous rappeler qu'ils sont plus que des objets, qu'ils sont des souvenirs.

La prise de conscience n'est pas suffisante
pour qu'il y ait changement, encore faut-il faire
des choix et s'engager avec soi-même à s'y tenir...

Du temps pour rêver

Je reste en vacances... Être en vacances, c'est prendre le temps de rêver, de quitter le passé immédiat, de renoncer un peu à l'emprise du présent, du quotidien, qui est ailleurs : c'est s'ouvrir à l'avenir.

Parmi nos besoins fondamentaux est le besoin de rêver, de nous projeter et, d'une certaine façon, de remodeler, de rebâtir ou de refaire le monde. Rêver non seulement à un avenir meilleur, à davantage de compréhension entre les hommes, mais aussi à la disparition de l'injustice, de la souffrance et de la violence, ou plus simplement de la bêtise.

Même si nous avons le sentiment d'avoir mérité notre plaisir d'exister, d'entrer de plain-pied dans quelques jours de bonheur que nous nous apprêtons à passer au bord de la mer, à la montagne ou en Provence, il peut nous arriver d'avoir le cœur serré, la pensée absorbée par ce qui se passe dans le vaste monde.

Nous sommes alangui au soleil, bercé par les vagues et le rire des enfants, ou encore, en montagne, entre le bleu du ciel et la terre ardente, et, par les journaux, la radio, la télévision, le discours de nos voisins de chalet, nous arrivent la rumeur d'une forme de terrorisme aveugle, de l'emprisonnement d'innocents, d'inondations ou de tornades, l'information que des condamnés à mort attendent depuis 10, 15 ou 20 ans une grâce, une libération, voire la reconnaissance de leur innocence. Nous rentrons le soir, à l'hôtel ou sous la tente, et nous parviennent les échos de quelques-unes des violences et injustices qui sévissent de par le monde.

En vacances, le militant que j'ai été ne s'endort pas totalement. Je continue, avec les amis de toujours, de rêver à haute voix d'un monde meilleur : notre seuil d'indignation n'est jamais tellement loin car nous avons encore beaucoup d'utopies à proposer pour diminuer les abus, résoudre les problèmes de la planète, favoriser l'amour entre les races, les religions, les ethnies qui s'opposent, susciter, accueillir plus de tolérance…

Rêver de vacances c'est aussi voyager dans sa tête. C'est habiter un lieu, inaccessible dans la réalité et qui devient familier, soudain proche et vivant. En vacances, j'ai un rêve prioritaire : je rêve souvent de Tahiti, où je ne suis jamais allé. J'ai dans ma tête le petit îlot dans le lagon de Bora-Bora où Colette Victor a vécu durant près de 30 ans avec Paul-Émile Victor. Lieu magique où j'ai été invité à venir d'urgence, avant que le lagon magnifique qui l'entoure ne se transforme en vivier touristique piqué d'une multitude d'hôtels cinq étoiles qui tueront à jamais cet endroit de rêve. Mais je rêve…

(Non pas tout à fait.) Car entre le moment où j'ai écrit ce texte et celui où il est publié, j'ai pu aller à Bora-Bora et, le cœur un peu triste, découvrir comment peut mourir un paradis abîmé par un excès de tourisme ! et me réconcilier quand même avec l'espoir qu'il existe des êtres comme Teva (le fils de Colette et Paul-Émile Victor) et sa compagne pour entretenir dans l'îlot qui est le leur une qualité de vie rare et exceptionnelle.

Une utopie est semblable à une étoile à l'horizon d'une vie. Même si nous ne pouvons l'atteindre, l'essentiel est ce que nous découvrons le long du chemin, en allant vers l'étoile…

Un instant de bonheur

C'était la fin d'une belle après-midi, celle du dernier dimanche de vacances. Le lendemain recommençaient les classes, le travail, la vie normale… Une certaine nostalgie, un alanguissement flottaient dans l'air.

La foule des touristes se dispersait doucement, sur un mode nonchalant, et je crois que j'attendais avec une impatience tranquille que mon village retrouve son visage des autres mois de l'année… Je m'étais tourné vers l'ouest, la direction du bonheur, au bout d'une journée, face à un soleil resplendissant dans une magnifique trouée de verdure. Plus bas, sur la place, dansaient les feuilles des platanes étonnamment vertes et lumineuses sur le bleu éclatant du ciel. J'étais ainsi, abandonné à la douceur des choses, encore bercé par les dernières paroles d'une connaissance qui s'éloignait, le regard perdu dans un large rayon de lumière. Instant fugace pendant lequel il est possible de s'isoler de toutes les responsabilités. Le ciel me sert souvent à ça, je m'y envole pour échapper aux pesanteurs des réalités quand elles sont trop problématiques !

Et voilà que dans ce drapé de lumière, il y eut tout à coup une spirale ascendante, toute scintillante. Des centaines de petits éclats infimes, irisés de scintillements dorés, s'élevaient lentement jusqu'à disparaître, happés par l'ombre du feuillage. Un instant, du coin de l'œil je crus à des poussières… Et puis il y eut un autre envol, encore plus magique que le premier, et là, j'ai vu une petite fille manger le plus consciencieusement du monde, de la barbe à papa. Elle ne plongeait pas sa bouche dans le nuage de sucre rose, mais elle en arrachait à pleine menotte de belles effilochées qu'elle happait avec délice. Et de celles-ci s'envolaient, par milliers, des cristaux infimes de sucre qui virevoltaient autour de ses mains et que chaque mouvement répandait comme une pluie ascendante de poussière d'or. La fillette, dans ce rayon de soleil tombé du ciel, irradiait une aura de particules scintillantes que le souffle de vent emportait vers la voûte des arbres.

C'était superbe, tellement léger, imprévisible et impalpable, irréel mais si présent… instant de bonheur rare comme la réalité sait nous en offrir pour nous rappeler que le bonheur existe. Instant d'apesanteur sociale, quand la vie s'écoule benoîtement sans obstacles ni réticences, et qui m'émerveille chaque fois avec la même intensité, que je reçois comme un cadeau. Quelques secondes encore, quelques bouchées de plus, et la fillette s'en est allée, reprise par la poigne ferme de sa mère…

Heureux toute une soirée d'avoir été le témoin, le seul témoin peut-être, de ce moment enlevé à la voracité du temps – aussi ai-je plaisir à vous l'offrir en partage…

Soyez les poètes de votre vie.
Osez chaque jour mettre du bleu à votre regard,
de l'orange au bout de vos doigts,
un sourire dans votre écoute et surtout,
surtout, de la tendresse dans chacun de vos gestes.

Le temps de l'exceptionnel

Durant les vacances, si nous sommes suffisamment ouvert et disponible, l'exceptionnel peut faire partie de notre quotidien, venir nous surprendre à chaque instant. Pour cette raison, les vacances nous laissent un goût d'étonnement, de surprise, voire de renouvellement. Un de mes enfants me demandait un jour : « Papa, comment un miracle peut-il arriver ? » et je me suis entendu lui répondre spontanément : « Quand nous savons l'accueillir. » Si nous savons accueillir l'imprévisible, nous ouvrir à l'exceptionnel, des miracles surgiront spontanément et nous surprendront plus souvent que nous n'osons l'imaginer.

J'avais 19 ans, j'étais seul en vacances près de l'étang de Leucate, à 10 kilomètres de Perpignan, au cœur d'un mois de juillet torride. Une après-midi, j'ai dérangé sans le vouloir un homme qui faisait la sieste sous une pinasse retournée. J'ai fait ainsi connaissance d'Eugène, un pêcheur d'anguilles qui ne travaillait que la nuit. Un homme mûr, silencieux, bon (je le découvris plus tard) et rieur (je le sus tout de suite). Dès notre première rencontre, il m'invita à déguster une bouillabaisse d'anguilles, dont il m'apprit aussitôt les secrets, en particulier comment il fallait frotter chaque pomme de terre avec de l'ail « pour donner du goût en profondeur » ! En quelques jours, nous sommes devenus amis. Nous pêchions la nuit, dormions la moitié du jour et mangions à chaque repas, sauf le dimanche, une bouillabaisse d'anguilles si succulente que je n'en ai jamais retrouvé de semblable. Le dimanche, par contre, « puisque c'est dimanche ! » disait-il, nous dévorions, à deux, un énorme plat de sardines grillées avec des poivrons !

Je trouvais cet homme extraordinaire. Il me donnait le sentiment que rien de préjudiciable ne me viendrait de lui, que rien de mauvais ne pouvait lui arriver. Toutes les deux phrases il riait, enveloppant ce qu'il disait de soleil et de bonheur. Son regard, tendre et rieur, semblait découvrir des moments heureux dans tous les coins et recoins du temps, à chaque instant. Sa prestance, je devrais dire sa façon de se tenir face aux autres comme s'il était face à un vent de force six ou sept, semblait créer un champ magnétique contre lequel toute la violence du monde échouerait...

L'habileté de ses doigts à réparer les trous d'un filet, à colmater au chanvre et au goudron une fuite d'eau, à démonter son vieux moteur diesel et à le répandre en pièces détachées sur une vieille bâche, au fond de la cale ou sur le pont, avant de le remonter en quelques heures, m'étonnait chaque fois et me remplissait d'une admiration envieuse. Son sourire, au moment de relever le filet chargé de poissons, ses gestes affectueux pour rejeter à l'étang tout ce qui n'était pas anguilles et « qui méritait de vivre malgré nous ! », m'émouvaient et me donnaient une confiance inouïe. Oui, je trouvais cet homme exceptionnel de simplicité, de cohérence et de force bienveillante. Il a marqué ma jeunesse, il fut pour moi un maître de vie.

Il existe un pays où le mot tristesse n'existe pas. Je ne connais pas le nom de ce pays, mais je sais comment y aller.

Les multiples noms de l'espoir

Quand je suis emprisonné, l'espoir
s'appelle Liberté…

Quand je suis affamé, l'espoir
s'appelle Pain…

Quand je suis assoiffé, l'espoir
s'appelle Eau…

Quand je suis seul, l'espoir
s'appelle l'Autre…

Quand je suis désespéré, l'espoir
s'appelle Espérance…

Quand je suis sans lumière, l'espoir
s'appelle Soleil…

Quand je suis mourant, l'espoir
s'appelle Vie…

Quand je suis aimant, l'espoir
s'appelle Aimée…

Quand je suis paralysé, l'espoir
s'appelle Mouvement…

Quand je suis aveugle, l'espoir
s'appelle Lumière…

Quand je suis malade, l'espoir
s'appelle Guérison…

Quand j'ai peur, l'espoir
s'appelle Courage…

Quand je suis découragé, l'espoir
s'appelle Ténacité…

Et quand je suis au plus près… de moi
l'espoir s'appelle Toi.

Avec espoir je vis, sans espoir je survis…

Reflets

J'étais descendu en Avignon pour régler une affaire urgente. Un peu en avance, je me suis assis sur un banc public. À ma droite, à l'autre bout de banc il y avait un homme. En fait, je ne l'avais pas regardé, seulement entrevu : il était assis, calme, avec des cheveux blancs.

Je regardais autour de moi, distraitement, sans m'intéresser particulièrement à l'animation de la place. Les gens se hâtaient. Depuis le matin, il y avait du vent. Un vent froid qui fouettait les visages, ébouriffait les cheveux. Un de ceux qui vous tapent au milieu du dos sans prévenir, faisant remonter les épaules et rentrer la tête dans le cou. Un vrai mistral qui venait subitement nous annoncer que l'été était révolu, que l'automne promettait d'être précoce.

C'est sous ce vent que j'ai vu arriver, à ma gauche, une jeune femme tenant un enfant par la main. Elle avait une longue jupe blanche, une auréole de cheveux la précédait presque à l'horizontale, tant le vent en jouait. Elle essayait, sans résultat, de les rabattre dans son cou. C'est ce geste qui a d'abord attiré mon attention. J'ai souri en la regardant faire, et j'ai pensé : « Gare à la jupe ! », car je connais le vent de chez nous. Quand il jette son dévolu sur une femme, il faut le voir s'enrouler autour d'elle, tourbillonner, maltraiter la jupe, la plaquer contre ses cuisses ! C'est ainsi qu'il joue, ce vent coquin, à affoler les vêtures ! Ainsi, pour notre plaisir, les femmes, leurs jupes soulevées en corolles, dévoilent leurs jambes, serrent les genoux, plaquent leurs mains sur leurs cuisses, leurs fesses, dans une défense pudique, avec un petit cri effaré : « Oooh ! »

Quelquefois, le vent ne soulève pas, il drape… C'est d'une sensualité merveilleuse, un drapé de mistral sur le corps étonné d'une femme. D'autant que l'élue n'en a pas conscience. Elle ne le sait pas, mais elle est comme nue. Penchée le plus souvent, absorbée par la force du vent, attentive à se protéger des envols, elle ne voit pas qu'elle offre son corps aux yeux de la rue. Celui-ci, révélé dans un drapé sculptural, fait d'elle, un instant, une Diane antique. Rondes ou élancées, fines ou musclées, toutes les cuisses des femmes sur lesquelles se plaquent les jupes sont superbes sous la fougue curieuse du mistral.

Mais ce jour-là, la femme qui avançait en tenant son enfant par la main avait une jupe longue et droite qui voletait à peine autour de ses chevilles. La jupe restait sage. Le vent n'avait pas d'emprise. Il n'y eut pas d'autre envolée que la bourrasque dans les longs cheveux qui m'effleurèrent presque lorsqu'elle passa devant moi.

Je la suivais du regard vers la droite, quand je fus saisi : il était presque 18 heures ; le soleil descendant éclairait de plein fouet la jeune femme que je voyais alors de dos, et au travers de la jupe claire, tout son corps apparaissait en transparence. Voilà que le soleil s'acoquinait avec le mistral pour la mettre à nu lui aussi ! Elle marchait, sans en avoir conscience, aussi belle qu'une Vénus au bain ! Image volée à quelque tableau classique ! La femme avançait sagement, son enfant l'accompagnait, et l'image qu'elle offrait tout autour était d'une impudeur émouvante tant cette femme était belle, douce et naturelle, illuminée par la transparence d'une poudre de lumière dorée.

C'était superbe ! Et tandis que j'étais ainsi tourné vers elle pour la suivre quelques instants encore, jusqu'à ce que la transparence disparaisse et lui restitue son corps sage, mon regard a rencontré celui de l'homme assis à ma droite. J'ai vu dans ses yeux l'éclat provoqué par la même image, le même sourire ravi que le mien. J'ai dit simplement : « C'est magnifique n'est-ce pas ? » Il m'a fait un beau sourire et a répondu : « Oui, c'est magnifique à regarder… » Et tout aussitôt, comme s'il cherchait à s'excuser d'avoir vu malgré lui, il a ajouté : « Après tout, on a des yeux pour s'en servir, n'est-ce pas ! ? »

Bien sûr, Monsieur! On a des yeux pour s'en servir! Vous, moi, nous n'avons rien fait d'autre que regarder, saisir l'image, capter l'instant. Nous n'avons rien volé, rien dérobé, seulement reçu ce qui s'offrait à nous, qui s'est dévoilé devant nous: cette femme conduisant sa fille – cadeau du soleil et complicité du vent que je me plais à imaginer...

Mais, je m'en vais, cher Monsieur! Je suis soudain pressé, mais vous, il me semble bien que vous avez du temps disponible. Je me demande même – et c'est possible! et c'est tant mieux! – si vous n'avez pas choisi cette place-là, sur ce banc, dans le rayonnement de cette fin de journée, justement pour admirer ce que la vie nous offre! C'est bien possible... Ne m'avez-vous pas dit, quand je suis parti, avec un léger haussement d'épaule qui vous a donné l'air d'un enfant pris en flagrant délit: «Vous savez, c'est tout ce qui me reste... regarder!»

Ne pas se priver du regard, même si nos autres sens sont en sommeil, garder les yeux ouverts...

Si nous croyons que le réel ne peut plus provoquer d'émotions, que seule la fiction peut en créer, alors remettons-nous à l'écoute du réel pour agrandir davantage nos rêves.

Dernière chronique

Accompagné par le journaliste Philippe Garcia, que je remercie ici, j'ai animé toute une année sur France Bleue Vaucluse une chronique radiophonique qui est à l'origine des trois volumes de *Chaque jour la vie*.

Il m'appartient ici d'exprimer ma reconnaissance à tous les auditeurs qui, avec leur sensibilité, leur émotion, leur curiosité, m'ont écrit ou téléphoné pour partager leurs interrogations, pour me dire aussi, ultérieurement, le cheminement qu'ils avaient suivi, les changements qu'ils avaient introduits dans leur vie à la suite de l'une ou l'autre de mes interventions.

Nous avons ainsi évoqué, parcouru, sans bien sûr les approfondir, quelque 250 sujets concernant la vie au quotidien. Quand je *revisite* ces chroniques, je m'aperçois que les thèmes qui reviennent le plus souvent sont au cœur de la vie de chacun :
• En premier lieu, se présentent l'amour et la difficulté à se sentir aimé dans la durée. Les souffrances liées à la perte, à la séparation, à la rupture. Les couples reconstitués qui se cherchent et veulent réussir plus et mieux…
• Viennent ensuite les enfants : comment communiquer avec eux, leur apporter le meilleur de nous ? Comment ne pas nous laisser entraîner par leurs désirs, leurs peurs et les nôtres !?
• Beaucoup d'interrogations concernent les relations des enfants devenus adultes avec leurs parents, avec nos parents. Malgré l'affection, l'amour ou la tendresse que nous leur portons, nous avons souvent avec eux un lien difficile, lourd de contentieux, de malentendus, de tensions et de malaises.
• De nombreuses questions furent posées sur la difficulté à se respecter, à rester soi-même, à pouvoir se définir et s'affirmer dans les relations significatives de la vie.

• Et bien d'autres interrogations sur l'école, la vie dans les quartiers, au travail… et d'autres plus intimes encore dont j'ai tenté avec pudeur de refléter la force émotionnelle et la richesse.

Ainsi, durant toute une année, nous avons traversé ensemble des tranches de vie, tenté de réinventer le monde, de proposer des chemins différents pour oser être un bon compagnon pour soi-même, un meilleur compagnon pour notre entourage, pour ne pas passer à côté de notre existence, pour aller vers le meilleur de la vie.

Ce qui m'a le plus touché, et je dois le dire souvent ému, c'est l'écho engendré par ces chroniques chez nombre d'auditeurs, d'auditrices. Certaines ont germé, leur donnant envie d'aller plus loin dans leurs interrogations et leur responsabilisation, d'autres les ont fait rêver et leur ont donné envie d'engranger plus de *vivance* dans leur existence pour leur cheminement futur.

À chacun, je souhaite d'accueillir la vie avec plus de plaisir, d'oser s'entendre au plus près de ses possibles et de ses ressources, de découvrir l'importance du partage, de l'échange, de la tolérance, de la solidarité ou plus simplement les richesses simples d'une parole vraie adressée à l'autre, quand tout semble fermé, perdu ou inutile. À chacun je dis ma reconnaissance pour tout ce que j'ai appris avec lui.

S'il est des mots qui donnent des ailes aux rêves, il en est d'autres qui coupent le cou à la réalité. Il est aussi des mots qui traversent silencieusement l'espace d'une vie et d'autres qui éblouiront les rires d'un enfant à naître. Il est encore des mots à inventer pour tenter de crier l'indicible tandis que d'autres sont si meurtris qu'ils finissent leurs jours dans les labyrinthes d'un délire.

Alors ne prêtons pas aux mots tant de pouvoir, ils ne sont souvent que le reflet de l'expression d'une personne qui se cherche. Mais veillons quand même à les honorer. Et, surtout, à les écouter quand nous en découvrons quelques-uns blottis et tout étonnés d'avoir survécu sur la page d'un livre qui attendait d'être ouvert et… lu.

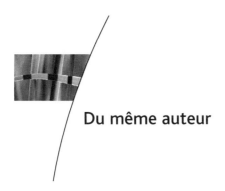

Du même auteur

Supervision et formation de l'éducateur spécialisé, Toulouse, Privat, 1972 (épuisé).

Parle-moi, j'ai des choses à te dire, Montréal, Les Éditions de l'Homme, 1982, 2003.

Relation d'aide et formation à l'entretien, Villeneuve d'Ascq (France), éditions universitaires Septentrion, 1987-2003.

Apprivoiser la tendresse, Saint Julien en Genevois (France), éditions Jouvence, 1988.

Les Mémoires de l'oubli (en collaboration avec Sylvie Galland), Saint Julien en Genevois (France), éditions Jouvence, 1989, et Paris, Albin Michel, 1999.

Papa, Maman, écoutez-moi vraiment, Paris, Albin Michel, 1989.

Si je m'écoutais... je m'entendrais (en collaboration avec Sylvie Galland), Montréal, Les Éditions de l'Homme, 1990, 2003.

Je m'appelle toi (roman), Paris, Albin Michel, 1990.

T'es toi quand tu parles, Paris, Albin Michel, 1991.

Bonjour tendresse, Paris, Albin Michel, 1992.

Contes à guérir, contes à grandir, Paris, Albin Michel, 1993.

Aimer et se le dire (en collaboration avec Sylvie Galland), Montréal, Les Éditions de l'Homme, 1993, 2003.

L'Enfant Bouddha (illustrations de Cosey), Paris, Albin Michel, 1993.

Heureux qui communique, Paris, Albin Michel, 1993.

Paroles d'amour, Paris, Albin Michel, 1995.

Jamais seuls ensemble, Montréal, Les Éditions de l'Homme, 1995,2003.

Charte de vie relationnelle à l'école, Paris, Albin Michel, 1995.

Communiquer pour vivre, Paris, Albin Michel, 1995.

Roussillon sur ciel, Graty (Belgique), éditions Deladrière, 1995.

C'est comme ça, ne discute pas, Paris, Albin Michel, 1996.

En amour, l'avenir vient de loin, Paris, Albin Michel, 1996.

Tous les matins de l'amour… ont un soir, Paris, Albin Michel, 1997.

Pour ne plus vivre sur la planète Taire, Paris, Albin Michel, 1997.

Éloge du couple, Paris, Albin Michel, 1998.

Une vie à se dire, Montréal, Les Éditions de l'Homme, 1998, 2003.

Toi mon infinitude (calligraphies d'Hassan Massoudi), Paris, Albin Michel, 1998.

Le Courage d'être soi, Gordes (France), éditions du Relié, 1999, et Paris, Pocket, 2001.

Paroles à guérir, Paris, Albin Michel, 1999.

Dis, papa, l'amour c'est quoi?, Paris, Albin Michel, 1999.

Car nous venons tous du pays de notre enfance, Paris, Albin Michel, 2000.

Au fil de la tendresse (en collaboration avec Julos Beaucarne), Bruxelles, éditions Ancrage, 2000.

Contes à s'aimer, contes à aimer, Paris, Albin Michel, 2000.

Oser travailler heureux (en collaboration avec Ch. Potier), Paris, Albin Michel, 2000.

Les chemins de l'amour (en collaboration avec C. Enjolet), Paris, Pocket, 2000.

Inventons la paix, Librio, n° 338, 2000-2003.

Passeur de vies (entretiens avec M. de Solemne), Paris, éditions Dervy, 2000.

Car nul ne sait à l'avance la durée de vie d'un amour (calligraphies de Lassaâd Metoui), Paris, éditions Dervy, 2001.

Lettres à l'intime de soi, Paris, Albin Michel, 2001.

Je t'appelle tendresse, Paris, Albin Michel, 2002.

Un océan de tendresse, Paris, éditions Dervy, 2002.

Tarot relationnel, Barret-sur-Méouge (France), éditions Le souffle d'or, 2002.

Je croyais qu'il suffisait de t'aimer, Paris, Albin Michel, 2003.

Écrits sur l'amour, Paris, éditions Dervy, 2003.

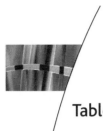

Table des matières

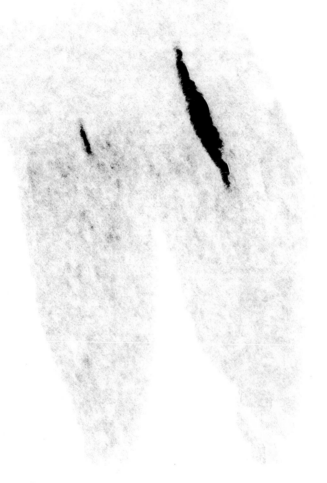

achevé d'imprimer
au Canada en juillet 2003
sur les presses des Imprimeries Transcontinental Inc.,
division Imprimerie Gagné